アメリカが日本にひた隠す日米同盟の真実

ベンジャミン・フルフォード
Benjamin Fulford

青春出版社

プロローグ

隠しきれなくなってきたアメリカ弱体化の兆候

あの日から5年以上の月日が流れた。

2008年9月14日の日曜日、アメリカでリーマン・ブラザーズ証券に破産法を申請することが決定された。そして翌日の月曜日、マーケットが開くまでの間に粛々と手続きは進められ、9月15日は大きな混乱の始まりとして人々の記憶に刻まれることとなった。

この日一日だけでNYダウは500ポイント以上（4・4％）下落。リーマン・ショックと呼ばれることとなる出来事は、世界中の株式市場へと負の連鎖をもたらし、恐ろしい傷跡を残した。その後2011年にギリシャ危機があり、ユーロ危機、そしてアメリカのQEという人類史上類を見ない超金融緩和が始まり、日本では未曾有の大災害が発生し、2度の政権交代があった。

そうしたことから考えると、現状はいくらかよくなってきたと考えている人が多いかもしれない。

2013年11月22日、NYダウは1万6000ドルの大台を突破し、日経平均株価も1万5000円台で堅調に推移している。2020年には東京オリンピックの開催が決まった。大国アメリカの復活とともに、世界経済は好転していく……。

だが、アメリカの動向を見誤ることは、あなたの守るべきものに大きなダメージを与えかねない。個人資産、個人情報、安全で平和な暮らし、健康、家族……。

とりわけ、日米同盟に対するアメリカの認識の変化について敏感でいるべきだろう。ここ数年、私たちはこれまで以上に中国、韓国、北朝鮮という周辺国との関係にざわめきを感じている。海底に発見された資源と深く絡み合う領土問題、大国化した中国の露骨な牽制――。かつてであれば素早く対応していたアメリカの動きは鈍く、頼りないものだ。

日本という国の安全保障にまつわる最重要事項である日米同盟に、何かが起きていることは間違いない。その背景には大国アメリカの衰退がある。経済力、軍事力、政治力、国際社会でのリーダーシップ。あらゆる面でかつての覇権国家が弱体化している。

本書ではその変化について多方面から分析していく。

例えば、この景気回復は本物なのか。なぜ、ダウ平均は上昇しているのか。

大手メディアはアメリカ政府機関が発表する統計の数字に理由を見出そうとする。雇用情勢が改善している。住宅価格指数も上昇した。シェールガス革命によって、エネルギー問題が解消される。その結果、製造業が力を取り戻し、強いアメリカが復活する――。

残念ながら、事はそううまく運ばない。なぜなら、アメリカ政府機関が発表する統計数字はかさ上げされたものであり、実際の台所事情は火の車だからだ。

わかりやすく言えば、一流企業に勤めていたサラリーマンが失業。再就職もうまくいかず、しかし奥さんには言えないまま、友人やサラ金、街金から金を借り、あらゆる人に言い訳をしながら、ごまかしているのと同じ状態なのだ。

当然、ごまかしはいつまでも続けられるものではない。

２０１３年10月、アメリカで再びガバメント・シャットダウン（政府閉鎖）が起きた。国の債務が16兆７０００億ドルの上限に到達し、議会が債務上限引き上げを認めなければデフォルト（債務不履行）になるところまで追い込まれたのだ。最終的には今回も民主党と共和党、上院と下院はギリギリまでのチキンレースの末、債務上限引き上げを認めた。

夫の実家、妻の実家からそれぞれの両親が集まり、いざとなったら金を出せるよう保証人の判を押し、金貸しから借りられる枠を広げてもらったわけだ。

こうしてアメリカは返すあてのない金を借り続けなければならず、ＦＲＢは財務省の刷る米国債をせっせと買い取り、ＱＥ3という異例のドルの垂れ流しを止められずにいる。実物通商の裏づけのない金がグルグル回り続け、最低限の元本を返すための資金を海外から巧妙に奪い取ることで、アメリカはなんとかデフォルトを回避しているにすぎない。

実際には、リーマン・ショック前より状況は悪化している。アメリカは確実に弱体化しているのだ。

危機が勃発してもアメリカは決して日本を守らない

その表れが、本書の第1章で紹介するスノーデン事件であり、第2章で触れるシリア問題での敗退だ。このふたつの出来事は、国際社会でのアメリカの衰退とロシアの台頭を隠しきれないものとして世界に知らしめることになった。

そんな中、日本と中国の間では緊張が高まっている。中国は日本を刺激することでアメリカの出方をうかがっているが、今のアメリカに日米同盟という言葉通りの行動を実行に移す力はない。

戦後60年間、アメリカばかりを見てきた日本人も、この状況を受けて考え方を大きく改めるべきだ。米国債を中国に買い支えてもらっているアメリカが、戦争をしてまで日本を守るだろうか?

アメリカは中国と日本からの資金供給と中東の油の独占でなんとか倒産をまぬかれているが、その戦略も行き詰まりつつある。資金の供給源である中国と日本が衝突することを望まないだろうが、もし両国がぶつかった時には冷徹な損得勘定で動く。この事実に多くの人が気づかない限り、日本に深刻な安全保障上の問題が生じる可能性もあるだろう。

事実、シリア問題を見ても、アメリカにはもう世界の警察官たる力も財源もない。

ここに至るまでの流れは、こんなふうに考えると理解しやすい。

アメリカやイギリス、南ヨーロッパの国々は、20世紀の終わりから21世紀以降、実物経済を軽視しモノをつくらなくなっていた。そして、欧米各国は実物を重視する国々、アジア、中南米、ロシア、アフリカから実物に裏打ちされた金を借り、金融工学というまやかしで金融資本主義に走った。バブルが次のバブルを、マネーがマネーを呼び、錬金術で偽りの豊かさを謳歌してきたのだ。

しかし、リーマン・ショックからユーロ危機へと続く危機の連鎖の中で、とてもシンプルなことが見えてきた。ギリシャにもスペインにもイタリアにも、そしてアメリカにも、物々交換に足る魅力的な実物経済が存在しないのだ。

もちろん、まったくないというわけではないが、産業の空洞化はエスカレートし、アジアや中南米、ロシア、アフリカから足りないものを借りるか盗むかして、自分たちの倒産を避けるしか道がない。

一般社会では、お金を払っている方が偉い。世界貿易のパターンを見ると、海外黒字を持っている国は日本、中国、ロシア、ドイツ、中東、東南アジア。赤字は南ヨーロッパ、アメリカとなる。赤字の国は勇気を出して金融資本主義とおさらばし、伝統的な実物経済に立ち戻るべきだ。

世界の情報を握ることでモノづくりを放棄したアメリカ

だが、欧米を自らの富と権力を支える代理人としてきた闇の権力者たちは、できるだけ現状を維持し、売り抜けようとしている。そこで、彼らが力を注いできたのが情報戦だ。

世界の大手メディアがいくつかの権力者によって掌握されていることは、過去に何度となく著書で指摘してきた。彼らはテレビやラジオ、新聞といったマスメディアを使って世論を形成する力を持っている。

そこに登場したのが、（彼らにとって）やっかいなメディアであるインターネットだった。既存メディアのフィルターがかからない情報がまたたく間に世界中に拡散するため、本当の意味での世論を形成できるものと大きな期待がもたれていた。

だが、テクノロジーの進歩が彼らの悩みを解消していく。ビッグデータ時代と呼ばれる現在、膨大なデータをインフォメーションへ、インテリジェンスへと加工するスーパーコンピュータが登場した。

彼らはその処理能力を巧みに使い、あらゆる情報を盗聴・監視するシステムをつくり上げてきた。その実働部隊がスノーデンの暴露によって注目を浴びているＮＳＡ（国家安全保障局）であり、イギリスの諜報機関であるＧＣＨＱ（政府通信本部）だ。

覇権を守るため、彼らはアメリカを世界一の情報大国へと導いた。だからこそ、モノづくりを軽視した国が、金融工学と石油の支配、情報支配で超大国の座を維持し続けられた。

そのやり口については第３章と第４章で詳しく紹介していくが、実物経済に連動しているように見せかけたバーチャルな経済を盛り上げ、金融工学を駆使し、天文学的な取引でマネーからマネーを生み出し、膨張を続けていったのだ。

現在、欧米と日本の中央銀行にじゃぶじゃぶと量的緩和策をさせているのは、彼ら闇の権力者たちだ。それぞれに追い詰められている彼らは、過剰流動性の中で再び大きなバブルを演出し、延命しようと考えている。

しかし、アメリカは確実に弱体化している。それはアメリカを経営している闇の権力者たちの衰退でもある。私たちは潮目の変わる瞬間に立ち会っているのだ。

これから来る〝大変革時代〟に備えよ

だからこそ、本当の世界情勢を見極めるために必要な視点がある。

現在は、物事を国単位で見分けるのが困難な時代だ。自民党の中にも安倍晋三首相を支持する層とそうでない層がいるのと同じだ。オバマが言ったからといって、それはアメリカの総意ではない。オバマを支持する人たちがいて、オバマを意のままに動かしたいと金を出す人たちがいて、それを阻止しようとする人たちがいる。

権力構造とは、国単位でなくコネクションと金の流れから見ていくべきもの。NSAやCIA、FBIが一枚岩ではないのも同じ理由からだ。バックグラウンドがどうなっているのかを見極めることこそが大切になる。

例えば、日本のＴＰＰ参加交渉。農業分野をめぐっては与党自民党内にも反対意見が根強く、参加へ一枚岩となっているとは言い難い。しかし、日本についてさほど詳しくない外国人や外国のメディアからすると、どうだろう？

議会で圧倒的多数を誇る自民党。その党首である安倍晋三首相が事態をコントロールしているように見えるはずだ。

内から外、外から内を覗いた場合、浮かび上がる構図はガラリと変わる。

私たちは結果だけしか見ていない。反対意見を述べた勢力は少数派であり、大多数の国民がイエスと言ったから、その結果になったのだろうと考える。だが、実際には51対49というわずかな差による決着だったのかもしれない。

当事者にしかわからないパワーバランスがあり、国単位、行政単位では見えない関係性がある。日本の現状に関しては第5章で詳しく述べていく。

本書は、表と裏の両面から世界が直面している大きなうねりの現在地点を示し、この先の出来事を予見するために書き下ろしたものだ。闇の権力者はもちろん、各国の諜報機関など、私がアクセスできる独自のルートから入手した情報もふんだんに盛り込んでいる。

アメリカの弱体化を示す証拠は、経済、国際通商、諜報活動、軍事、国民生活、あらゆるところで浮かび上がっている。

ガバメントシャットダウンの裏側で起きているその場しのぎの経済運営や、実物を買うためのドルに窮している懐事情。スノーデン騒動によって明らかになってきた諜報活動の衰退、中東への影響力が低下し世界の警察として振る舞えなくなったアメリカ軍の姿、フードスタンプに頼って暮らす人々と再びの住宅バブルに踊る富裕層の埋めがたい乖離……。

いずれの分野においても、問題の背景には闇の権力者たちの混乱と焦りが横たわっている。大手メディアの報じるニュースを中心に見聞きしている方には信じがたい説もあるだろう。だが、大きな変化の兆しは思わぬところに表れるものだ。

アメリカを動かす闇の権力者たちは日本をどのように値踏みしているのか。日本とは切っても切れない関係にある大国の衰退は、私たちの暮らしにも大きく影響する。本書がひとりでも多くの人に役立つことを願っている。

アメリカが日本にひた隠す
日米同盟の真実

◈目次◈

第2章
弱体化し世界で孤立するアメリカ。離れられない日本

第3章 日中衝突は軍産複合体に仕組まれていた

第5章 日米同盟にすがる日本は生き残れるのか

装丁・本文デザイン……日下充典
本文DTP……センターメディア

第1章

アメリカが目論む〝情報支配〟と反発する世界

第1章　「アメリカの情報支配」を読み解くポイント

スノーデン騒動とは？

元CIA、元NSAの職員だったエドワード・スノーデンが、自身の正義感からアメリカ政府機関が行っている諜報活動をリークしたとされる。主要国の政治家から一般市民まで、あらゆる人々の情報が盗聴・監視されていることが明らかに。

NSAとは？

国家安全保障局（NSA：National Security Agency）の略で、アメリカ国防総省の諜報組織。その活動全容は公表されていないが、地球規模の盗聴システム「エシュロン」やインターネット監視システム「プリズム」を駆使し、全世界を盗聴・監視している。

インターネット検索だけで逮捕される時代に!?

NSAは人々の検索ワードについても監視。イスラム過激派を連想させる言葉を検索するだけでマークされ、ある日突然、警察官がインターホンを鳴らすような事態につながることも。簡単便利な無料サービスの利用は個人情報を提出することにほかならない。

スノーデン騒動の裏に隠された覇権勢力争い

現在、ロシアに身を隠しているスノーデン。なぜ彼がロシアへと向かったのか。そこにはドイツやBRICs諸国を巻き込んだ大きなうねりがあった。弱体化するアメリカを追い込んでいく大国とは？

無料のインターネットサービスに仕掛けられたワナ

インターネットは現在、世界で25億人以上、3人に1人が使う巨大なネットワークになっている。私たちは家にいながら世界のあらゆる情報を手に入れることができ、自ら情報を発信することもできるようになった。

また、初めて訪れた土地でもポータブルデバイスと地図アプリを組み合わせれば、迷うことなく目的地にたどり着ける。欲しい物はオンラインショッピングですぐに購入可能で、夜注文した商品が翌日午前中に届くといった高度なサービスにも慣れてしまった。

インターネットの発展は地方と大都市の格差、持てる者、持たざる者の情報格差を埋め合わせ、平等や自由の象徴のようにもなっている。しかし、その高速デジタル通信網には、とある偏りがあるのをご存じだろうか。

じつは、世界各地を結ぶ主要な回線のほとんどはアメリカを経由しているのだ。

インターネットをはじめとするデジタル回線の85%が、いったんアメリカを経由している。例えば、私が日本からかつて暮らしたアルゼンチンの友人にメールを送るとしよう。デジタル情報となったメッセージは、必ずアメリカの回線網を通過する。これはヨーロッパに向けて発信する時も同じだ。

情報はアメリカに集まる。これは自然とそうなったのではなく、意図的にそう仕向けられた。クリントン時代の副大統領ゴアと彼のブレーンたちは、確固たる戦略性を持って情報スーパーハイウェイ構想を推進したのだ。

インターネットの発達は、アメリカによる情報集約、情報支配の布石だったのだ。

そして、十二分に情報が行き交う環境が整ったうえで、グーグルやマイクロソフト、フェイスブックやツイッター、アップル、アマゾンなどが非常に便利で、なおかつ無料の新サービスを次々とリリースしていった。

読者の皆さんで、これら企業のサービスをまったく使ったことがないという人は少数派だろう。もちろん、どのサービスにも広告がついており、より深く利用しようと思えば課金されることもある。それでも大部分は1円も払うことなく利用することができるのだ。

あなたはどうだろう？　グーグルのメールサービスであるGメールのメールアドレスを持ってはいないだろうか。あるいは、フェイスブックで友人たちとの交流を深めてはいないだろうか。

しかし、日本には「ただより高いものはない」ということわざがあるように、一連の無料サービスには裏があった。

グーグル、アップル、アマゾンはNSAの出先機関である

ＮＳＡ（国家安全保障局）およびＣＩＡの元職員であるエドワード・スノーデンの暴露によって、ＩＴ関連企業の情報がＮＳＡに筒抜けだったことが明らかになったことは記憶に新しい。

米紙ワシントン・ポスト（電子版）は10月30日、米国家安全保障局（ＮＳＡ）がインターネット検索大手のグーグル、ヤフー両社の通信網に秘密裏にアクセスし、大量の利用者アカウント情報を収集していると報じた。ロシアに亡命した中央情報局（ＣＩＡ）のスノーデン元職員から入手した文書などから判明したとしている。

ＮＳＡが使用しているのは「マスキュラー」と呼ばれるプログラムで、ＮＳＡが英情報当局と共同運営しているという。同紙は、裁判所の許可なしで司法長官の承認のみで運用、米国市民の個人情報が収集されていることを問題視している。

（中略）

ＮＳＡは「外国の機密情報のみに注目している」と釈明しているが、グーグル幹

部は同紙に「政府がここまで、われわれ民間ネットワークからデータを傍受しているのは言語道断。早急な改革が必要だ」と話している』（東京新聞　2013年11月1日）

スノーデンが暴露した資料によると、NSAはマイクロソフト、ヤフー、グーグル、フェイスブック、パルトーク、AOL、スカイプ、ユーチューブ、アップルという9つのIT企業を対象に、メール、文章、音声、写真、動画、ユーザーの接続ログ（利用記録）など、多岐にわたる情報を収集していた。

しかし、NSAが通信情報監視システムを使って個人情報を収集していたとするスキャンダルは、私にとってさほど驚くべきことではなかった。なぜなら、2001年9月11日の同時多発テロからわずか45日後に成立した「米国愛国者法」以来、アメリカは自国民の監視を続けてきたからだ。

9・11を契機に拡大解釈された国の捜査権

米国愛国者法の正式法案名は、「テロリズムの阻止と回避のために必要な手段を提供することによりアメリカを統合し強化する２００１年の法（Uniting and Strengthening America by Providing Appropriate Tools Required to Intercept and Obstruct Terrorism Act of 2001）」。その頭文字をとると「ＵＳＡ愛国者（USA PATRIOT）」となり、米国愛国者法となった。

同時多発テロ事件後、テロへの恐怖心と報復感情があおられ、アメリカの報道機関に炭疽菌入りの封筒が送りつけられた炭疽菌事件も発生。アフガニスタンでの戦争が強行されるなか、米国愛国者法は上院下院でもほとんど修正されず、異例の短期間で可決された。

この法律によって、ＮＳＡやＣＩＡ、ＦＢＩなどの国家機関の権限が大幅に拡大。テロの定義やテロ防止措置と市民の自由擁護、プライバシー保護との関連はあいまいなまま、テロを防ぐという名目であれば、裁判所の許可なく国家機関に圧倒的な捜査権限が与えられることになった。

具体的には、「入国者の無期限の拘留」「令状なしの家宅捜索」「令状なしの電話・電子メール・親書・金融取引記録などの調査（要するに盗聴など）」「テロに関連する金融資産の凍結」など、これはナチスドイツと変わらぬ監視・管理体制と言っていいものだ。

事実、当時はブッシュ大統領への批判や中東での戦争を批判した人物の逮捕・尋問が行われ、図書館で特定の本を読んでいる者を調査するといったケースも報告されている。アメリカ政府当局はアメリカ市民のすべてのメールやネットの閲覧履歴、電話での会話などを常に監視・盗聴してきたのだ。

さらに、2007年には「米国保護法」が成立。これは1978年にできた「外国情報監視法」を強化したもので、政府の情報機関が裁判所の承認なしに外国の情報を収集することを認める内容だ。

その前後には「テロ戦争」の一環として、アメリカとEUは諜報に関する協定にサインしている。これによってNSAは、テロ容疑者間の通信を傍受すると称し、欧州各国のアメリカ大使館などを拠点に、大規模な盗聴・盗撮を行ってきた。

例えば、ベルリンのアメリカ大使館はドイツの政治経済の中枢を見下ろす高層ビルにあり、NSAはそこからドイツの政財界人の携帯電話を盗聴していたとされる。ちなみに、東京にあるアメリカ大使館は霞が関や国会のすぐ近くに位置しており、同様の盗聴・盗撮が行われてきたであろうことは容易に想像できる。

巨大組織NSAの実態とは

では、こうした工作の中核を担っているNSAとはどんな組織なのか？

正式名称はアメリカ国家安全保障局（National Security Agency）で、アメリカ国防総省の諜報組織だ。主に通信傍受と暗号解読および合衆国政府が使う暗号通信システムの管理を担当し、大規模な通信傍受システム「エシュロン」（後述）の運営主体とされている。

しかし、今回のスノーデンの暴露があるまで、その活動内容の大部分は表に出ておらず、謎のベールに包まれていた。

そもそも、アメリカの諜報組織の成り立ちは複雑だ。

大統領直轄の組織もあれば、国防総省、陸軍、海軍、空軍、海兵隊の4軍の一部となっているもの、司法省、国土安全保障省、エネルギー省、国務省、財務省などに分散されて設置されているものもある。

例えば、FBI（連邦捜査局）は司法省の組織であり、CIA（中央情報局）は大統領直轄といった具合だ。そんななか、NSAは第一次世界大戦の時代に大本となる組織がつくられ、トルーマン大統領時代の1952年に軍の暗号業務を担当する軍保安局（AFSA：Armed Forces Security Agency）を発展させる形で設立された。

現在はより大きく重要度の増した存在となり、陸軍情報保全コマンド、海軍保安部、空軍情報・監視・偵察局、海兵隊、国家安全保障局の沿岸警備隊との間で、CSS（中央保安部）と呼ばれる横断型の組織を組んでいる。ＮＳＡ長官がトップを兼任するＣＳＳが、有事の際に４軍の各組織と連携、共同作戦を実施する仕組みだ。こうしたことからも、ＮＳＡが重要な存在となっていることがうかがえるだろう。

その本部はワシントンＤ．Ｃ．に隣接するメリーランド州のフォート・ジョージ・Ｇ・ミード陸軍基地に置かれている。同基地は漆黒の大理石のような巨大ビルで、地下には世界最高速を誇るスーパーコンピュータを１０００台以上配備。日夜膨大な情報を処理し、無線、有線を問わず世界を飛び交う通信データの解析を行っている。

また、基地内には海外駐在の米軍人及びその家族向けの放送局であるＡＦＮ（American Forces Network）の本部もあり、通信傍受という古くからＮＳＡの業務との関連を感じさせる。職員数は非公開だが5万〜8万人規模。下請けを含めると25万人以上になると推定され、予算は１００億ドル以上。計画も成果もホワイトハウスと議会の秘密委員会にしか知らされないという非常に特殊な存在で、ＣＩＡなどと遜色ない諜報機関と言えるだろう。

データは分析されてはじめてインテリジェンスになる

ＣＩＡとＮＳＡの最大の違いは、狙いを定めるのが人の持っている情報か、飛び交う情報の分析かという点にある。ＣＩＡはスパイ映画に描かれてきたように、人間が動き、情報を収集するヒュミント（ＨＵＭＩＮＴ）と呼ばれる諜報活動を中心としてきた。

一方のＮＳＡは、設立当初から暗号解析、盗聴などシギント（ＳＩＧＩＮＴ）と呼ばれる情報収集、分析を行う組織として発展。現在は膨大な電子情報（ビッグデータ）を集めて分析する手法を得意としている。

ここで重要なのは、「情報」という単語の解釈だ。

英訳すると、情報はデータ、インフォメーション、インテリジェンスの3つに大別される。データは日本語の資料であり、インフォメーションはデータを分野別などに分類し、検索可能な状態に整理したもの。そして、インテリジェンスは、インフォメーションに分析、評価、編集といった作業を加えて、特定の目的が達成できるよう加工したものを指す。

問題なのは、日本ではこれらすべてを「情報」という単語でひと括りにしてしまっていることだ。インフォメーションはいくら集めてもデータの集積にすぎず、奪われたとしても脅威は少ない。しかし、それがインテリジェンスに加工された時、悪用も可能な役立つ情報となるのだ。

例えば、60代、70代の男性の住所と収入を一覧したインフォメーションがあったとしよう。これだけなら単なるデータにすぎない。しかし、そこに「過去に何らかの商法に騙された」という情報が組み合わされ、加工された時、そのリストは振り込め詐欺、投資詐欺などの標的というインテリジェンスに変わっていく。

かつて、その加工作業に欠かせない情報を得る存在だったのがスパイであり、ヒュミントが諜報活動の花形だった。CIAの「I」はインフォメーションではなくインテリジェンスの頭文字だ。

ところが、今は状況が変わった。コンピュータの性能の著しい向上と飛び交う通信データの増大によって、シギントこそが諜報活動の中核を担うものとなったのだ。

インターネットをはじめとするデジタル回線の85％がいったんアメリカを経由することは前述したが、その狙いはまさにここにある。飛び交うメールなどの情報の一つひとつはデータにすぎないが、それが集積し、NSAの手で分析・加工された時、価値あるインテリジェンスに変わるのだ。

現在、インターネットの約9割はNSAの監視下にあると考えて間違いないだろう。

世界の通信をもれなく傍受する「エシュロン」

シギントの歴史は思いのほか古い。人類が初めて電信を使ったのは1844年。サミュエル・モールスがワシントンとボルチモアの61キロに電線を張り、「神は何をつくりたもうたか」とモールス信号を送ったのが始まりだ。

以後、グリエルモ・マルコーニが無線通信を実用化。列強各国は競って研究開発を進め、1914年に始まった第一次世界大戦では無線による情報戦が本格化していく。当時、情報戦の主導権を握っていたのはイギリスだ。海軍省に40号室と呼ばれる電波傍受専用の工作室をつくり、他国に先駆けて成果を上げていった。

追従したアメリカはMI8という組織で情報戦に加わり、第二次世界大戦開戦の翌年、イギリスとアメリカは電波傍受や暗号解読の情報を交換する協力体制を構築。1943年にはBRUSA協定（英米通信傍受協定）という密約が結ばれ、ここから世界的な通信傍受システムの構築が始まっていった。

そして、この第二次世界大戦時につくられた通信傍受システムが、今も稼働している「エシュロン」につながっていくのだ。

1990年代にその存在が暴露されて以来、たびたび問題視されてきたエシュロンは、世界中の電話、ファックス、電子メールなどの通信、レーダーやミサイルの誘導システムの電波などを常時監視し、世界最大級のスーパーコンピュータで情報の記録と解析を自動的に行うという巨大な通信傍受システムだ。

当初はイギリス、アメリカだけで運用されていたが、冷戦期にカナダ、オーストラリア、ニュージーランドという旧イギリス植民地を加え、さらに1970年代に日本、西ドイツ、トルコ、キプロス、プエルトリコなどが参加。全世界をカバーするようになった。アングロサクソンの先進国アメリカの同盟国だけでなく、キプロスやプエルトリコなどが取り込まれているのは、それぞれが交通・通信の要衝だからだ。

地中海に位置するキプロスは南ヨーロッパから北アフリカの情報傍受、バハマ諸島にあるプエルトリコはキューバやベネズエラなど反米勢力の監視に適している。

ヨーロッパでエシュロン問題を最初に取り上げたジャーナリストのひとり、イギリスのテレビプロデューサーであるダンカン・キャンベル氏によれば、エシュロンは遠距離通信のために使用されるマイクロ波すべてを世界各国にある120の地上基地と通信衛星で捕捉。日本では青森県にある三沢基地に「象のオリ」と呼ばれる巨大な通信アンテナがあり、エシュロンの地上基地として運用されてきた。

自国の情報も狙われている中で、日本はエシュロンのために用地を無償で提供し、「思いやり予算」で電気、水道などの維持費を賄い、周辺で働く基地従業員の給与を負担し、宿舎の建設もしてきた。何とも滑稽な話だ。

また、エシュロンはマイクロ波を使用しない海底ケーブルを通した通信も傍受している。NSAには盗聴専用の潜水艦も存在し、直接海底ケーブルに接続して盗聴するケースもあったという。

インターネット情報の85%がアメリカを通過する

このエシュロンの存在をアメリカとイギリスは長年にわたって隠し続けてきた。だが2000年2月16日にアメリカ国防総省の機密文書が公開され、エシュロンによって情報を奪われていた欧州連合（EU）が猛抗議を開始。フランスは2000年7月からエシュロンについて産業スパイ容疑で捜査に着手し、欧州議会も本会議でエシュロン問題を討議する委員会の設置を正式に決定した。

当時、NSAは産業スパイをしていないと宣言していたが、現実には日米貿易交渉で日本の経産省と自動車各社間の連絡を盗聴していたことや、ドイツの産業界を盗聴していたことなどが明らかになっている。

だが、フランスを中心とした反エシュロンの動きは、ある出来事がきっかけとなって下火になっていく。そう、2001年の同時多発テロだ。その後はすでに述べた通り、アメリカでの愛国者法の成立、対テロ戦争のための情報戦であるというお題目によって、エシュロンは必要悪とみなされるようになっていった。

テロを防ぐには、国内外すべての通信を監視する必要がある、というわけだ。

こうしたNSAの監視対象リストには、イランや北朝鮮、キューバのようなアメリカにとっての敵国ばかりでなく、フランス、ドイツ、日本、ブラジルのような同盟国も含まれている。特にフランスやドイツなどには「外交上の優位性」、日本やブラジルなどに対しては「経済上の優位性」を確保するために通信傍受活動を行ってきた。

エシュロンの運用を担い巨大化してきたNSAだが、インターネットの発達によってその地位は揺るぎないものとなっている。以前はイギリスがリードすることもあったシギントによる世界規模の諜報活動は、今や完全にNSAの手中にあるといっていい。

各国が共同で情報収集する際、NSAはそれぞれの諜報機関を下請けのように使い、データやインフォメーションを集め、インテリジェンスに加工する。なぜそのような地位を確立できたかといえば、通信の主流がネット回線に移ったからだ。

インターネット情報の85％がアメリカを通過することの意味はここにある。潜水艦で海底ケーブルを盗聴するなどという大掛かりなことをしなくても、より簡単に、精度の高い情報を得られるようになっているのだ。

そんななか、ＮＳＡは２００７年に「プリズム計画」という極秘の通信監視プログラムをスタートさせた。この計画に沿って、ＮＳＡはマイクロソフト、ヤフー、グーグル、フェイスブック、パルトーク、ＡＯＬ、スカイプ、ユーチューブ、アップルという９つのＩＴ関連企業を対象に、メール、文章、音声、写真、動画、ユーザーの接続ログ（利用記録）など、多岐にわたる情報を収集。その詳細な資料をスノーデンが暴露したことで、大きなスキャンダルとなっているわけだ。

ＮＳＡの盗聴は世界規模の人権侵害にほかならない

しかし、ここまで読んでいただければわかる通り、ＮＳＡははるか以前から世界中の情報を盗んでいた。スノーデンによる暴露は価値のあるものだが、氷山の一角にすぎないと考えた方がいいだろう。

例えば、ＮＳＡは「メタデータ」と呼ばれるインフォメーションを収集する。テロリストの疑いのある人物が電話をかけた場合、その通話の中身ではなく「何時に、どこから、どの番号に電話をかけたのか」に注目するのだ。

メールを送った場合にはその時刻や相手先のアドレスを、ATMから現金を引き出した場合には時刻や場所などをチェックしていく。通信内容より、周辺情報を集めて分析することで被疑者の交信相手や行動範囲を明らかにし、テロ組織の発見につなげようと目論んでいるわけだ。

当初、NSAはアメリカ全土の約20カ所に傍受を行う拠点を設け、宇宙には直径150メートルものアンテナをもつ傍受衛星「トランペット」や「メンター」を飛ばし、データを収集してきた。だが、それでもカバーしきれないデータを入手するためにプリズム計画を立案し、IT関連企業から直接メタデータを入手することにしたわけだ。

プリズムに最初に協力しはじめたのはマイクロソフトで2007年9月から。次がヤフーで2008年3月、グーグルは2009年1月、フェイスブックは2009年6月からとされている。またマイクロソフトのウィンドウズには、パソコンでネット回線に接続した際、ハードディスクやメモリ内のデータがNSAに抜き取られる「バックドア」が仕掛けられているという指摘もある。

これらの記録は毎日継続的に収集され、NSAがテロ捜査につながると察知した場合に照会できるよう、大規模なデータベースに格納されていく。考えられないほどのプライバシー侵害だが、もし、これが純粋に対テロ対策のために使われているのなら、まだ大目に見てもいい部分もあるかもしれない。

だが、同時多発テロに端を発する対テロ戦争はアメリカがでっち上げたフィクションだ。9・11以来頻発しているテロ事件は、情報工作によってでっちあげられたケースが多い。すなわち、NSAのやっていることは大掛かりな人権侵害にほかならないのだ。

「爆弾」と検索しただけで逮捕される危険も

スノーデンの暴露を受けて開かれたアメリカ議会の公聴会において、NSA長官のキース・アレクサンダー陸軍大将は、「情報収集は実際にテロ阻止に役立っている」と主張。

2009年には、パキスタンのテロ容疑者がアメリカのコロラド州に住むアフガニスタン出身の男と爆弾のつくり方を相談するという内容のメールを傍受し、ニューヨークの地下鉄を狙ったテロを阻止したという。そのほかにも、「世界20カ国あまりで50件以上のテロを未然に防いできた」とNSAの成果をアピールした。

「エックス・キースコア」と名づけられた独自のシステムを使い、監視対象者のメールアドレスを入力するだけで、メールの内容やソーシャル・ネットワークでのやりとり、ホームページの閲覧履歴などを把握できるという。これによって300人のテロリストを拘束したとも説明している。

しかし、300人のテロリストを捉えるために、いったい何人の個人情報が暴かれたのか。NSAの前では暗号化も無意味だ。

英紙ガーディアン(電子版)は5日、米英両国の秘密情報機関が2010年にインターネット上の暗号(暗証番号やパスワードなど)解読技術を開発し、ネット銀行でのやりとりや医療記録などの個人情報を入手していたと報じた。電子メールや検索記録を傍受していることはわかっていたが、暗号で保護されている個人情報までも入手していたことがわかったのは初めて。

(中略)

米国家安全保障局(NSA)と英政府通信本部(GCHQ)は協力して、ネット関連企業が利用者の秘密を保持するために設定しているパスワードなどの暗号を破る技術を開発した。長年、スーパーコンピュータを使って研究され10年に実用化されたらしい。

同紙によると、両機関はこうした活動について、テロ対策の一環と説明しているが、ネット専門家は、「すべてのネット利用者のプライバシーを犯している。また、暗号はネット上でのやりとりの基本であり、それを破ることはネット自体の信用を傷つける」と警告している。(毎日新聞　2013年9月6日)

本来、アメリカでは市民の通信傍受には裁判所の令状が必要とされるが、「エックス・キースコア」などによる傍受は法的手続きを経ないまま運用されていた。つまり、集めた情報をどう捉え、どう使うかはNSAの思うままだったということだ。

疑わしきは監視せよ、ということか。過去には、「サダム・フセイン」と「爆弾」という言葉を検索しただけで、自動的に「イスラム過激派」のリストに入れられたケースや、友人との会話で「私、爆発寸前よ」と電話でボヤいた主婦をマークし、その通信を追い続けたというケースもあった。

また、2013年のボストン・マラソンでのテロ事件のあとには、夫が「リュックサック」、妻が「圧力鍋」と検索したところ、自宅に警察が事情聴取にやってきたという笑うに笑えない事例も報告されている。これはボストン・マラソンでのテロに使われたのが圧力鍋を改造した爆弾で、リュックサックに入れた状態で現場に放置されていたからだ。

ＮＳＡ側は、「以前はこのような失敗もあったが、今日では単語だけでなく前後の文脈などもコンピュータが勘案して怪しいものだけを抜き出す技術がある」と説明している。だが私やあなたにも、ちょっとした検索に対する誤解から逮捕、拘束される危険性があるということだ。

テロ対策の名目で悪用される捜査権

一例を挙げれば、２０１３年8月18日、ロンドンのヒースロー空港でブラジル人男性が乗り継ぎ中に身柄を拘束されたというケースがある。この男性、デイビッド・マイケル・ミランダ氏は、英紙ガーディアンのグレン・グリーンウォルド記者のパートナー。そして、グリーンウォルド記者は、スノーデンからアメリカの個人情報監視活動の情報を得て発表していた。

イギリスではテロ対策法附則7に基づき、警察は捜査令状のないまま空港や駅で出入国する乗客らを9時間まで拘束し、テロへの関与などを聴取することができる。その際、被拘束者はいかなる質問にも答える義務があり、返答を拒否すれば犯罪となる。つまり、罪を犯したくなければ警察に協力せざるをえないわけだ。

イギリス警察長協会が発表した勧告では、「附則7の使用はテロ対策に限定し、その他の目的には使用してはならない」としているが、相当の理由がなくても職務質問や持ち物検査を許可するなど、運用はあいまい。欧州人権裁判所は2010年、個人のプライバシーを保護する欧州人権憲章第8条に抵触するとして、テロ対策法附則7による捜査を違法としている。

しかし、ミランダ氏は婚姻関係にある彼のパートナー、ガーディアン紙の記者への報復として9時間近く拘束され、所持していたノートパソコン、予備のハードディスク、携帯電話、メモリースティックなど所持品の多くを没収された。

警察側の主張によると、ミランダ氏のハードディスクにはスノーデンが持ち出したファイルの一部がコピーされており、「ウィキリークスの例のように、書類の内容がウェブサイトにアップロードされてしまう危険があった」という。

だが、彼がイギリス政府に対して脅威を与える存在であるという具体的な証拠は何もなく、スノーデンによって諜報活動の実情が暴露されたイギリス政府通信本部（GCHQ）の焦りが見て取れる。今回の拘束は違法なものであり、テロ対策法が卑劣な報復行為のために悪用されかねないことが明らかになった。

当局はこうしたジャーナリストを標的にすることで、ほかのジャーナリストに対して

「政府への批判的な報道をすれば、標的になる」というメッセージを発しているのだ。

市民に危害が与えられないようにすると主張しテロ対策法を議会で通過させながら、その法律を使って国家が個人への報復をする。

これは、特定秘密保護法が設立したばかりの日本に住む私たちにとって、遠い対岸の話ではない。許しがたい行為だ。

明らかになったアメリカの各国首脳への盗聴

このように、対テロの名目で個々人の人権や個人情報が危険にさらされていることは由々しき問題だ。

だがその一方で、私はスノーデンの暴露から始まった一連の騒動に別の大きな物語を見ている。それは実物経済の衰退をバーチャルで補い続けてきたアメリカの弱体化であり、アメリカという国に巣食う欧米支配階級の金融資本家、ドル石油体制によって地位を築いてきた闇の権力者たちの弱体化の物語でもある。

まずは、いくつかの断片に目を向けてみよう。

現在も亡命先を探しながらロシアに滞在し、暴露活動を続けているスノーデン。彼はまるで騒動を長引かせようとするかのように、自分の持っている情報を小出しにしながら世論を動かしている。

最近ではフランスのル・モンド紙に、ＮＳＡがフランス国内の要人や経営者、著名人の数百万本の電話を録音分析していたことを流した。電話が着発信すると、自動的に録音を開始する仕掛けになっていたという。アメリカとイギリスが手を結んでいた情報戦の外側に追いやられてきたフランスにとって、看過しがたい情報だ。

さらに、ＮＳＡは同じやり口で１カ月間にスペインで６０００万回、イタリアで４６００万回の通話を録音していたこともリークされ、アメリカ政府には各国からの抗議が殺到。また欧州以外ではブラジル、メキシコなどで政府要人の通信をＮＳＡが盗聴していたことも明らかになっている。

そんななか、アメリカ政府はロシアを出発した南米ボリビアのモラレス大統領の専用機を緊急着陸させるという失態も犯した。

「スノーデンを乗せているのではないか」と疑われた大統領専用機は、オーストリアに着陸。しかし、機内にスノーデンの姿はなかった。この行動に対し、ボリビアを含む南米数カ国の首脳が「謝罪がなければアメリカ大使館の閉鎖もありうる」との声明を発表。今回のアメリカ政府のやり方に怒りを露わにしている。

さらには、ＮＳＡがドイツのメルケル首相ら主要諸国の指導者35人の携帯電話やメール、個人のパソコンのブラウザの履歴などを盗聴・盗み見していたことが明らかになった。それ以降、ドイツはアメリカ政府に説明責任を果たすよう厳しく要求。メルケルはソ連の傀儡でひどい密告・盗聴社会だった旧東ドイツの出身だけに、盗聴の犯罪性に敏感だ。

アメリカ政府は当初、ＮＳＡがメルケルらの電話を盗聴していることをオバマ大統領が知らなかったと言っていたが、ドイツの新聞がオバマは3年前にメルケルに対する盗聴を許可していたと報じた。

外国要人の電話を盗聴するのは、その国がオバマ政権をどう考えているか探って外交的対策をとるためだ。もしオバマが報告を受けていなかったとしたら盗聴自体が無意味であり、部下たちがやっている不正行為を把握していなかった責任も生じる。オバマはメルケルへの盗聴を知っていたと認めざるをえないだろう。

スノーデン騒動の本質はロシアの対米工作か

こうした一連の流れの中で、フランスやほかのＥＵ各国もアメリカ政府との自由貿易協定の交渉延期を決定するなど、強硬な姿勢を見せ始めている。スノーデンの暴露は起爆剤となったにすぎない。アメリカが欧州からアジアへと軸足を移すにつれて、中東や西ヨーロッパにおける影響力が著しく低下していることが見えてくる。

そして現在、それらの地域でアメリカに代わって力を増してきているのがロシアだ。ドイツ、スペイン、フランス政府がオバマ政権を批判しているが、これを大きくプッシュしているのは、ロシアトゥディ（RT）やドイツの有力紙。

例えば、メルケルの携帯電話が盗聴されていたと書いたのはドイツの週刊誌シュピーゲル。盗聴は2002年から始まっていたと指摘しただけでなく、ベルリンにNSAの大きなスパイセンターがあることを追及。その後、ドイツ政府はその上空にヘリを飛ばすなど威嚇している。

ドイツ政府ならびにメルケル首相は、アメリカの盗聴・監視行為を信頼関係の裏切りとしたうえで、「友人同士の間では、たとえそれが誰であっても監視するような行為はまったく受け入れられない」と語り、オバマ政権を激しく非難している。

すべての情報ソースはスノーデンであり、そのキーマンがロシアに身を寄せているのは偶然ではない。これは欧米の世論をロシアに有利に導くための準備であり、アメリカに対する不信感を高めていくキャンペーンなのだ。

その効果はさまざまな場所で発揮されている。ＥＵの議会はＮＳＡがＥＵの銀行データ送信を傍受していたことを問題視。今後の影響を懸念し、アメリカのＳＷＩＦＴ（国際銀行間通信協会＝世界中の銀行やその他の金融機関の間の通信ネットワークを運営する組織。２０２の国や地域において７８００以上の金融機関がＳＷＩＦＴの会員となっている）が金融データバンクへアクセスできなくするという制裁を検討している。

過去、ＳＷＩＦＴから追放された国は北朝鮮やミャンマーなどわずかな国々だけであり、これは前代未聞の状況だ。

ロシアと接近したドイツを中心に、ＥＵ各国がアメリカを見限ろうとしている様子が露骨に見受けられる。スノーデンによる一連の暴露劇は、こうした動きを後押しするもので、ロシアによる対米工作として捉えることもできるだろう。

浮かび上がるもうひとつの可能性

だが、いくつかのインサイド情報を集めてみると、別の分析も可能だ。

過去、ハリウッド映画は何度となくアメリカが行っている盗聴の実態を描いてきた。固定電話に関しては20世紀から、ＧＰＳ機能のついた携帯電話については21世紀に入ってから完全に捕捉されている。盗聴被害を防ぐためには、電源を切るだけでは意味がなく、ＳＩＭカードを抜いてようやく監視から逃れることができる。

これを自然界でいえば、アフリカのサバンナでライオンやゼブラがどこにいるかを自然保護員が把握しているのと同じことだ。

一定の情報感度を持っている人なら、今回のＮＳＡ騒動程度の盗聴・監視がすでに行われてきたことは把握していただろう。そこでこんな疑問が生じる。スノーデン事件は目くらましとして使われているだけではないか？　と。

本当に問題なのは、監視を行っている側の得体が知れないことだ。ＮＳＡに関する暴露サイトによれば、かつてＮＳＡを現職の大統領が訪問した時、決まったコースしか見ることができなかったと伝えている。大統領ですら遠ざけられているのだ。組織を動かしているのはどういう人間なのか？　どんな権限を持っているのか？

そこが本当に注意すべきポイントだ。

スノーデンはまだ、そこを明らかにしていない。誰が、何のために盗聴・監視を行っているのかという核心に迫っていない。私のインテリジェンスたちによれば、ＮＳＡの背後にいるのは軍産複合体によって育てられたクオンツと呼ばれる天才技術者たちと、ＦＲＢの株主たちだとされる。

ＮＳＡは金融機関のコンピュータをハッキングし、ＳＷＩＦＴから数字を抜き出しているという話もある。

事実、サウジアラビアがイギリスへ送金した7兆ドルが、途中で闇に消えてしまうという事件が発生した。奪ったのはパパ・ブッシュ一族だといわれている。

こうした闇の権力者の中でのマネーの奪い合いがあり、その一端が、一部の金融資本家たちの支配下にあるメディアから明らかにされた。

つまり、自分たちの国際決済網をハッキングしたＮＳＡと、その背後にいる闇の権力者への批判と警告。それがスノーデン事件の本質なのだ。

孤立するイギリス、ロシアに接近するドイツ

こうした暗部での権力争いを暗示するかのように、ヨーロッパによるアメリカ批判への動きにイギリス政府はまったく参加していない。理由はいくつかあるが、そのひとつに同じ英語圏同士であることへの潜在的な民族意識が挙げられる。

また、アメリカもイギリスも自国民に対する盗聴行為などを法律で禁じているが、外国に対する盗聴については許されている。さらに、両国ともに同盟国の当局同士であれば情

報交換が許されている。そこで、イギリスの当局がアメリカ国民を盗聴・監視し、アメリカ当局がイギリス国民を盗聴・監視。互いのデータをＮＳＡやＧＣＨＱ（イギリス政府通信本部）に渡していた。

こうした活動の一部を示す書類は、今回の騒動でも明らかになっている。

ＧＣＨＱは国内および海外からのインターネットトラフィックを伝送する光ケーブルネットワークを監視。ＮＳＡが作成した情報処理ソフトウェアであるテンポラを使い、大量の情報を収集・保存していた。テンポラは大量の情報を精査し、諜報機関にとって価値のあるインフォメーションを抽出できるツールだ。

両国の諜報機関の結びつきは第二次世界大戦まで遡り、１９４３年のＢＲＵＳＡ協定（英米通信傍受協定）以来の慣れ合いは今も続いている。イギリス政府はＮＳＡを批判する姿勢はまったく見せておらず、ＥＵ加盟国との立ち位置の違いが明確になっている。

ここからうかがえるのは、イギリスのＥＵ離れだ。

キャメロン首相は就任時の所信表明演説で「ＥＵの構造改革を提案し、新しい状況を見たうえで、『Ｉｎ ｏｒ Ｏｕｔ？』、つまりＥＵに留まるか脱退するかの国民投票を行う」と発言。物議をかもしたが、その後もイギリスではＥＵを批判する政治家が増え、世論調査では過半数の国民がＥＵを離れたいと意思表示している。

ユーロ危機に際して、ドイツやＥＵ側は金融取引税導入を含め、財務管理を厳しくすることを目標にしたヨーロッパ財政協定を進めているが、これにもキャメロンはノーと発言。ほかの国を唖然とさせた。

この協定には、天文学的なデリバティブを不可能にする条項が含まれている。ＧＤＰの10％超を金融で稼いでいるイギリスにとって、金融街シティに楯突くような協定には参加できない。また、ウォール街の意向に強い影響を受けているオバマ政権も反対。ＥＵ圏内に絞って言えば、シティとドイツの金融都市フランクフルトの決裂が見えてくる。

こうしたイギリスの動きの背景には、複数の秘密結社による協定として、「ロシアとドイツがヨーロッパ大陸の支配権を持つことは容認するが、イギリスに限っては独立を保ってアングロサクソン圏（イギリス・アメリカ・カナダ・オーストラリア・ニュージーランド）に残る」との約束が以前からあるとする説もある。

ちなみに、ドイツとロシアの接近については、すでに明確な動きとなって表れている。

資源を武器にEUへの影響を強めるロシア

例えば、２０１１年11月にはロシアからドイツに天然ガスを運ぶバルト海の海底パイプライン「ノルド・ストリーム」が開通した。

総距離1224キロメートルで、バルト海を経由してロシアのブイボルクからドイツのグライフスワルトを結ぶ。総工費は海底部だけで74億ユーロ。陸上部の建設費用も加えれば140億ユーロにもおよぶ巨大プロジェクトだ。

パイプライン建設が合意されたのは2005年。プロジェクトを取り仕切ったのはスイスに本社を置く「ノルド・ストリーム社」で、資本比率はロシアのガスプロム51%、独エーオン15・5%、独ウィンターシャル15・5%、蘭ガスニー9%、仏GDFスエズ9%で、事実上ガスプロムの子会社となっている。

プロジェクトはロシアが主導し、ドイツが全面協力。パイプラインがバルト三国海域、ポーランド海域も通るため、沿岸国のフィンランド、スウェーデン、デンマークからも許諾を取る必要があった。当初、交渉は難航したが、2010年フィンランドが排他的経済水域での建設を許可し、竣工した。

ドイツ北東部ルブミンで開かれた記念式典には、ドイツのメルケル首相やロシアのドミトリ・メドベージェフ大統領（当時）らが出席。メドベージェフは「欧州は債務危機を乗り越え、ロシアと共に多くの事業に取り組めると信じている」「ロシアと欧州には明るい未来が待ち受けている」などと宣言。ロシアは欧州に直接天然ガスを輸送できるようになり、メルケルとメドベージェフは開通式で親密さをアピールしていた。

日本のメディアから情報を得る限り、ドイツを中心とするEUにとってアメリカやイギリスは同盟国であり、ロシアが警戒すべき脅威だという見方になる。だが、実際にドイツにとって大きな脅威となっているのは、実物経済が悪化しているほかのEU諸国やイギリス、アメリカなのだ。

長年にわたって首相を盗聴してきた同盟国より、ノルド・ストリームなどを通じて豊富な資源を持つロシアとの協調を深めるのは、ドイツにとって自然な流れだと言える。事実、ロシアの貿易の約半分はEUが相手であり、プーチンはWTOに加盟。EU・ロシア間の関税が大きく下がり、経済関係も強化された。さらに、ドイツが上海協力機構（中国とロシアが主導するユーラシア諸国間の集団安全保障体制）への参加を検討し始めたという情報もある。

また、大きな対外赤字を抱えるドイツ以外のEU諸国にとっても、身近な資源国であるロシアの存在感は年々大きくなっている。こうした実物通商にまつわる状況を踏まえ、アメリカ政府機関による国内外への盗聴・監視活動を暴露したスノーデンを最初に受け入れたのが中国とロシアであったことを思い出してほしい。

スノーデン騒動に乗じて、ロシアはその影響力をより強めているのだ。

ゴールドをめぐる「ドイツ対アメリカ」の暗闘

この動きを加速させているのが、アメリカの実物経済の弱体化だ。

こんな出来事がある。ドイツは冷戦時代にソ連軍の侵攻に備えてアメリカのＦＲＢ（連邦準備制度理事会）に３００トン、フランスに３７４トンの金（ゴールド）を預けた。最近になってドイツはこの金を引き上げたいと申し出たが、焦ったのはＦＲＢだ。

ＦＲＢは約53万本の金の延べ棒、およそ６７００トンがマンハッタン南部の金庫にあると発表しているものの、ドイツ政府からの申し入れに難色を示している。なぜなら、すでにアメリカは自国の延命のため、ニューヨーク連邦準備銀行の地下金庫に預かっているとされる世界各国政府の金を流出させているからだ。

米ソ冷戦下の旧西ドイツ時代、旧ソ連の侵攻を恐れて外国に多くの金を預けていたドイツが今年に入り、金の現物回収に乗り出している。ドイツ連邦銀行（中央銀行）によると、２０２０年までに６７４トン（約２７０億ユーロ）を米国とフランスからドイツに戻す方針だ。冷戦終結から20年以上経過し、金を国外避難させる必要性がないうえ、欧州債務危機でユーロの信用が揺らぐ中、有事に強いとされる金の現物を手元に置きたい思惑もある。

ドイツは現在、米国に次ぐ世界第2位の金保有国で、国内外に合計3391トンを保管する。東西冷戦期、米英仏の3カ国にこのうち約7割を分散して預けていたが、今後は2020年までに米国から300トン、フランスから374トンを回収し、国内保管割合を5割まで引き上げる方針だ。

独メディアによると、背景にはユーロ危機のほか、金を預かる外国銀行の秘密主義もある。米英仏の銀行はドイツからの照会に対し、「適切に管理している」と書類で回答するだけで、現物の詳細な状況を知らせていない。このためドイツ会計検査院は昨秋、「自国の金なのに、数量や品質を十分に把握できていない」と懸念を表明していた。

ドイツ連銀は回収の理由について「外国から戻し、金の管理能力に対するドイツの信頼を高める」（ティーレ理事）と説明。フランクフルトのドイツ連銀で保管するという。（毎日新聞　2013年4月30日）

これに対してFRBが出した答えは、「すぐには対応できないので、7年かけて返還していく」という主旨のものだった。すでにアメリカは世界一の金保有国ではなく、金の延べ棒が保管されているというFRBの金庫に現物は存在しない。

FRBの苦しい言い訳を受けて、ドイツ政府はフランクフルトにある米領事館の上空真上に軍事用ヘリコプターを周回させるという威圧行動に出ている。

加えて興味深いのは、2013年初頭にフランス軍がアフリカのマリに侵攻していることだ。この際、アメリカは空軍の燃料補給機でフランス軍を後方支援するほか、NSAやCIAによる諜報情報を提供。レオン・パネッタ国防長官も協力を公式に認めている。

アフリカ大陸での旧フランス植民地における争いだけに日本ではあまり報じられていないが、マリはアフリカ第3位の金産出国であり、領土内に良質な7つの金鉱脈を有している。そのほか、ウランやダイヤモンドといった資源も豊富だ。

フランスとアメリカは例のごとく、イスラム系過激派によるテロ集団を抑え込むための侵攻だと主張しているが、前後の流れから見れば、その狙いは明らかだろう。彼らは盗んだ金でドイツをなだめるつもりなのだ。

国家ぐるみでのハッキング疑惑

スノーデン騒動後のアメリカ外しの動きは、もともとロシアの影響力の強いＢＲＩＣＳにも波及している。なかでも痛烈なアメリカ批判を展開したのが、ブラジルのジルマ・ルセフ大統領だ。ルセフ大統領はＮＳＡを中心とするアメリカのスパイ行為への怒りを公式に表明。ブラジル政府はボーイング社などと結んでいた軍用機の購入契約をすべてキャンセルし、制御不能なアメリカの監視装置からブラジル国民を守るための対策を行うと宣言した。

その中核となるのは、「ＢＲＩＣＳケーブル」と呼ばれる計画だ。全長３万４０００キロメートル、２線式ファイバー、毎秒12・８テラビットの光ファイバーケーブル網で、ロシア、中国、インド、南アフリカ、ブラジル（ＢＲＩＣＳ諸国）を接続。アフリカの東海岸と西海岸にも拠点を設けることで、ＢＲＩＣＳ諸国とアフリカ21カ国がつながり、なおかつアメリカには最低限の拠点しか設けないことで情報漏洩のリスクを軽減するという。

さらにブラジル独自の安全な国営電子メールサービスを立ち上げ、ブラジル国民に関するすべてのオンライン情報を物理的にブラジル国内に保管することを義務づける法律を準備している。この対策はブラジルで事業を展開するアメリカのＩＴ関連企業に大きなダメージとなるだろう。

なぜなら、この法律に沿うためにはブラジル国内に高価な巨大データセンターを設置し、すでに国外に保有しているインフラを複製することが義務づけられるからだ。

現在も中国、ロシア、イランなどは、アメリカが目論む開かれたインターネット、すなわち情報を盗みやすいインターネットとは一線を画する国営イントラネットを維持している。今回のルセフ大統領の発言はブラジルがその道を追うことの表明であり、トルコ、インド、インドネシアなども後を追う可能性が高い。

さらに、ロシアと接近し、独自のインターネット網の必要性を感じているドイツは、「ＢＲＩＣＳケーブル」への参加を望んでいるという。ここまで各国がアメリカによる監視・盗聴に対する対抗策に真剣なのは、情報漏洩以外にもより重大な疑惑がささやかれているからだ。

じつはＮＳＡ盗聴疑惑の裏で、アメリカが金融取引のハッキングを行っているという疑惑が浮上しているのだ。詳しくは次章で述べるが、アメリカはリーマン・ショック以降、悪化した実物経済をウソの統計、二重帳簿による負債隠しによってごまかしてきた。しかし、それだけでは破綻を穴埋めすることができず。他国の国家間振込を乗っ取って延命しているという疑いがあるのだ。

実物経済、実物通商の弱体化によってバーチャルを通じた支配を目論んだアメリカは、薄汚い泥棒大国となってしまったのか。あるいは、一部の勢力が大国を隘路《あいろ》へと導いたのか。いずれにしろ、スノーデン騒動によってオンライン上のアメリカの優位は大きく揺らいだことは明白だ。

第2章

弱体化し世界で孤立するアメリカ。離れられない日本

第2章 「孤立するアメリカ」を読み解くポイント

シリア空爆中止が象徴するもの

2013年8月、首都ダマスカスの近郊で化学兵器によって市民が攻撃され、多数の死者が出たとされる。その事件を理由にアメリカはシリア空爆を計画。ところが計画は頓挫し、ロシアの仲介によってオバマは最低限のメンツを守るしかなかった。

中東と西ヨーロッパで存在感を増すロシア

極度の財政危機を内包するアメリカは、もはや中東へ睨みを利かせるだけの力を失っている。そこへ台頭してきたのが、豊富なエネルギー資源と政治力を誇るロシアだ。エネルギーを巡る地政学的争いは、ドル石油体制の崩壊を予感させている。

ガバメントシャットダウンの真相とは?

2013年10月17日、アメリカは借金の延長ができるかどうかの瀬戸際にあった。「ガバメントシャットダウン」という単語とともに、日本国内のニュースでも盛んに報道された事態はいったいどういうものなのか。その真相を解説する。

弱体化するアメリカと支える日本

安倍政権は長期政権となる確約を得るために、50兆円もの資金を米国債購入という形でアメリカに差し出したと言われている。だが、日中関係が悪化するなか、対米従属は大きなリスクとなるだろう。中国の力を必要としているアメリカが日本を救うとは思えない。

またもやねつ造された侵攻への大義名分

シリアでの出来事は、アメリカの覇権の衰退と弱体化を如実に示すものだった。

2013年8月下旬、アメリカはイギリス、フランスの賛同を得て、早ければ8月29日にシリアへの空爆を開始すると息巻いていた。シリアの首都ダマスカス近郊で化学兵器によって市民が攻撃され、多数の死者が出たとされた事件への制裁処置だという。

アメリカ政府は、この事件を「シリア政府軍の仕業に違いない」と断定。ケリー国務長官が「シリア政府軍が化学兵器を使ったことは否定しようがない」「それを疑う者は不道徳な陰謀論者だ」と表明。国際的に違法な化学兵器の使用に対し、シリア沖の地中海にいるアメリカ軍艦隊やイギリス軍の潜水艦からミサイルを発射し、シリア軍の基地などを破壊すると発表したのだ。

当時、私はこのアメリカの姿勢をこんなふうに見ていた。

アメリカ、フランス、イギリスなどが「シリア政府軍による毒ガスの使用」をねつ造して、シリア侵略の正当化を図ろうとしている。だが、シリアのアサド政権が自国の首都に住む一般市民を毒ガスで殺す動機などあるわけがない、と。

ハッキングされたメールなどによって、生物兵器による民間人の大量殺害事件にサウジアラビア政府やイギリスの武器会社、欧米当局などが関与していた証拠も続々と挙がってきていた。

逆に、シリア市民へ化学兵器による攻撃が行われたとする根拠は弱かった。

YouTube《ユーチューブ》などにアップされた「被害者を撮影したとされる映像」や、反政府派の多い地域の病院に医薬品などを供給している「国境なき医師団」が、現地の医師から「化学兵器の被害を受けたと思われる多数の市民を手当てしている」との報告がすべてだった。

これでは、化学兵器を使ったのが政府軍であるということの証明にはなりえない。しかも、証拠とされる動画には事件の前日にアップロードされたものもあり、YouTubeのサーバーがあるアメリカとシリアとの時差を考えても不可解だ。

また、サリンガスの被害者としてメディアに出ていた写真が、以前イラクで起きた化学兵器使用の証拠として出された写真と同じだという指摘もある。

さらに事件の5カ月前、2013年3月にも化学兵器を使ったと疑われているアサド政権が、国連からの調査団が到着した直後のタイミングをわざわざ選んで民間人を攻撃するとは考えにくい。しかも、8月の事件があったとされる現場は、国連調査団の滞在場所からほど近くに位置しているのだ。

現在、シリアの内戦はアサド政権の政府軍が優勢だ。そして政府軍は空軍を持っているので、戦闘の効果としては生物兵器ではなく通常兵器による空爆の方が効果的だ。

一方、シリア反政府勢力の参加者のほとんどはシリア国民ではなく、ほかのアラブ諸国やパキスタン、欧州などから流れてきた勢力だ。トルコやヨルダンの基地などでアメリカ軍やフランス軍などから軍事訓練を受け、サウジアラビアなどから資金を提供された事実上の「傭兵団」である。言ってみれば、外国勢力が傭兵団を使ってシリアに侵攻しているという構図なのだ。こうした点から、アメリカが事件をねつ造していることは明らかで、シリアへの攻撃が国連決議で採択されることはないだろうと見ていた。

国際世論はアメリカに冷淡だった

仮に国連決議が採択されたとしても、ロシアと中国は揃って拒否権を発動したはずで、アメリカの思惑通りには進まなかっただろう。

また、アメリカの国内事情にも異変があった。それはペンタゴンと欧米当局との間に広がっていった認識のギャップだ。オバマ大統領やケリー国務長官が世間に対していくらシリア軍事攻撃の容認を呼びかけても、ペンタゴンはそれに従おうとしなかった。

実際、制服組の最高位にいるデンプシー統合参謀本部長は、「シリア空爆は、アルカイダなどイスラム過激派を強化するだけの愚かな策だ。いったん空爆したら、戦争は数カ月から1年以上かかる。ロシアやイランとの戦争に拡大する可能性もあり、しかもアメリカ軍にその準備がない」と、公然と空爆に反対している。

シンプルに言えば、ペンタゴンはオバマ政権のコントロール下にないのだ。だからこそ、イギリスやフランスの上層部、さらにはオバマ政権がシリア攻撃を主張し続けたところで、アメリカ軍の主力部隊は動かない。

加えて超党派議員161人は、オバマが空爆を行うと表明していた8月末、連名で大統領に書簡を出した。そこには「シリア軍はアメリカまで届くミサイルを持たず、脅威でないので、大統領が議会に諮らず空爆できる状況でない。議会を無視したシリア空爆は違法であり、それが行われた場合、議会はオバマの弾劾を検討する」と書かれていた。対テロという名目であれば、大統領が独断で他国を攻撃できるというブッシュ以後の流れにノーを突きつけたわけだ。

国際世論もまた、アメリカに対して冷淡だった。

それは2003年3月に「大量破壊兵器がある」というでっちあげで開始されたイラク侵略と比べればハッキリする。イラク侵略の際は結果的に36カ国が戦争に参加したが、今回は化学兵器使用が疑われた時点でシリアへの攻撃を支持した国は9カ国（アメリカ、カナダ、イギリス、イタリア、フランス、サウジアラビア、トルコ、イスラエル、クエート）のみ。さらに、これらの国の政府首脳がシリア攻撃への参加を表明すると、国内の世論は反対に動いた。

いまや多くの市民が、でっちあげの戦争を見抜いているのだ。

キャメロン首相に突きつけられた231年ぶりの否決

とりわけ、イラク侵攻でアメリカとともに国連安保理の決議がないまま戦争を開始してひと儲けしたイギリス国内での反応は象徴的だった。

今回もいち早くオバマ政権のシリア攻撃に賛同したキャメロン首相だったが、イギリスはアメリカと異なり、外国との戦争には例外なしに議会の承認が必要になる。当初、与野党は空爆に賛成だったが、国連での議論を通じて、アメリカの主張するシリア政府軍犯人説の根拠が薄いとわかると、風向きが変わる。

与野党は「国連の化学兵器調査団の結論が出るまで待つべきだ」という意見でまとまり、イギリス議会はキャメロンのシリア空爆案を否決した。

イギリスで首相が戦争開始を議会に諮って否決されたのは、1782年以来231年ぶり。同じく、シリア攻撃を容認していたカナダのスティーブン・ハーパー首相も国内での反対にあい、支持を撤回している。

こうした動きについて、私とつながりのあるMI5の関係者は「これを発端に、年内にもキャメロン政権は崩壊するだろう」と話していた。また状況からして、キャメロンの後釜にいわゆる闇の権力者たちの代理が就任することもないという。そして、カナダのスティーブン・ハーパーが首相でいられる期間もそう長くはないだろう。

こうした状況は、ドル石油体制を通じて世界を動かしてきた闇の権力者にとって致命的だ。この時期、ロシアのサンクトペテルブルクではオバマ、プーチンらが参加したG20が行われていた。その席でのやりとりを伝えるニュースからも、アメリカの、つまりは闇の権力者の代理人たちの弱体化が見えてくる。

ロシア・サンクトペテルブルクで開かれていた主要20カ国・地域（G20）首脳会議（サミット）は6日、2日間の日程を終え閉幕した。焦点となったシリア問題では軍事介入の必要性を訴える米国などと、攻撃に反対するロシアや中国などとの対立が際立ち、サミットで採択された首脳宣言にシリア情勢に関する内容は盛り込まれなかった。ロシアのプーチン大統領とオバマ米大統領は6日、シリア情勢をめぐり個別に会談したが、物別れに終わった。

プーチン大統領は閉幕後の記者会見で、5日の夕食会で米国による軍事介入への支持を表明したのはトルコ、カナダ、サウジアラビア、フランスだけだったと指摘した。また、シリアが攻撃された場合もアサド政権を支援すると明言した。

これに対し、オバマ大統領は閉幕後の記者会見で、アサド政権が化学兵器を使用したことについて半数を超える参加国首脳が同意したと説明した。オバマ大統領はまた、武力介入について10日に国民に向けて演説すると発表した。日米など11カ国は6日、「強力な国際的対応」を求める共同声明を発表した。

一方、フランスのオランド大統領は6日の記者会見で、軍事攻撃を前に化学兵器使用に関する国連調査団の報告を待つ考えを示した。（2013年9月6日　毎日新聞）

その後、公式の場でロシアのプーチン大統領が、「アメリカはこの10年、国際問題を解決するためと称していくつもの国に侵攻したが、それによって問題が解決された国は一つもなかった」と言い放ったように、彼らの手口は見透かされている。

もう9・11の同時多発テロ事件やイラク侵略を企てた時のように、闇の権力者たちが国際世論を騙すことはできなくなっているのだ。

孤立するアメリカに追従する安倍政権

この流れをつくり出したのは、間違いなく欧米の市民の意識の変化だ。2003年のイラク侵略の際、アメリカでは国民の60%がイラク進攻を支持していた。しかし、今回のシリアへの攻撃を支持したアメリカ国民はたった9%。同じようなトレンドはほかの欧米諸国においても多く見受けられるようになってきている。

ところが、日本はイラク侵略時と変わらぬ対応に終始した。

安倍晋三首相はG20の場でオバマ大統領と会談し、シリア攻撃への協力を求められると、「非人道的行為を食い止める責任感に敬意を表する」と述べ、シリア情勢改善に緊密な連携を見せることを表明。日本国内の世論もアサド政権が化学兵器を使用した事実を疑う声は少なく、話題は自衛隊の海外派遣をめぐる綱引きに終始した。

なかには北朝鮮との有事を想定し、シリアで化学兵器が使用される戦闘を経験すべきだと主張する識者もいた。まだまだメディアは戦争を商売にする闇の権力者の強い影響下にあると言っていいだろう。

それでも、グローバルな視点で見れば彼らが戦争勃発を狙って仕掛けたシリアでの工作は失敗に終わった。

オオカミ少年のウソは見抜かれたのだ。各地で繰り返し事件のねつ造を図り、国際世論をいたずらに戦争へと駆り立てようとするやり口に騙される者はいなくなった。その結果、ドル石油体制を財源に軍産複合体を牛耳り、アメリカを自由に動かしてきた人々は、国際社会の中で孤立無援の状態へと追い込まれている。

しかも、近年ではアメリカが戦略的に欧州からアジアへ軸足を移したことで、中東や西ヨーロッパでの影響力は著しく低下。アメリカはアジアの防波堤を強化しようとしている。

この状況は、アメリカのヘーゲル国防長官がシリア騒動の最中にもかかわらずフィリピンやインドネシア、ブルネイなどのアジア各国を歴訪していることからも窺い知れるだろう。その間、国防長官は「中東の騒動がどうであれ、アメリカがアジアへ軸足を移すことに変わりはない」と発言して回っていた。

シリア内戦は天然ガスをめぐる争いにすぎない

一方、今回のシリア問題を資源とエネルギーという切り口で眺めると、戦争をでっちあげる側の狙いが鮮明になってくる。問題の根本にあるのは、天然ガスをめぐる覇権争いだ。

長らく西ヨーロッパはロシアからの天然ガスに依存している。そんななか、サウジアラビアとカタールで大量の天然ガスが発見され、両国はパイプラインでヨーロッパへ運び出す計画を立てた。このプランを後押ししているのがアメリカやイギリスなど、今回シリア攻撃に賛同していた国々だ。

かたやロシアは友好国であるイラン産出の天然ガスをイラク、シリア経由でギリシャへと運ぶパイプラインの建設をバックアップ。これが完成すれば、ヨーロッパ各国のロシアへのエネルギー依存度はますます高まっていく。

これは、かつて中東を植民地として支配していたイギリスやフランス、ドル石油体制の根幹を握ってきた世界最大の石油輸出国でもあるサウジアラビアなどにとって、非常に面白くない展開である。サウジアラビアとカタールから敷設する予定のパイプラインも、ヨーロッパを目指す以上はシリアの国土を経由せざるをえないからだ。

つまりシリアで行われている内戦は、ヨーロッパへ送り込む天然ガスをサウジアラビア、カタール産出のものとするか、イラン産出のものとするか、そのふたつのパイプラインをめぐる戦いにすぎない。アメリカが喧伝する「アサド政権という非民主的な政治体制を打倒する、反政府軍による内戦」などではないのだ。

すでに、シリアのアサド政権と戦う反政府勢力、ならびに傭兵の資金源がサウジアラビアとカタールの両政府であることは暴露されている。シリア動乱の背景にあるのは、欧州に天然ガスを売りたいサウジアラビアとカタール政府（両国とも上層部は闇の権力者たちの代理人）がパイプライン敷設計画を推進するなか、邪魔なアサド政権を取り除こうという動きなのだ。

ロシアの提案を受け入れざるをえなかったアメリカ

しかし、シリアへの空爆が実行されることはなかった。オバマの呼びかけにアメリカ軍も国際世論も動こうとはせず、そこに後述するガバメントシャットダウンが重なり、アメリカはシリアが化学兵器を全廃するという約束に飛びつく形で空爆決議を手打ちにした。

オバマにもはや大きな権限がないとわかるのは、当初シリア攻撃すると言いながら、ペンタゴンの同意すら取りつけることができなかった点にある。アメリカ軍の機関新聞である「ミリタリータイムス」が行った現役米軍兵士への聞き取り調査でも、75％がシリアに対する軍事攻撃に反対。80％がシリア内戦に介入してもアメリカの国益にならないと考えていることがわかった。

アメリカは財政難で防衛費が足りないのだから、無益なシリア空爆などしない方がいい、というのがアメリカ軍の総意というわけだ。そんなオバマの難局に、救いの手を差し伸べたのがロシアとイランだった。

ロシアの提案は以下の通りだ。シリアはすべての化学兵器とその開発施設を国際的な管理下に移したうえで破壊して破棄。化学兵器禁止条約に加盟する代わりに、アメリカがシリアを空爆しないと約束する。これをシリア外相に提案し、了承を引き出した。

その後、シリア政府は国連に化学兵器禁止条約への加盟を申請し、受理されている。結果的にロシアの提案はオバマの顔を潰さず、アメリカがシリア政府に化学兵器使用の濡れ衣をかけた問題を解決に導いたわけだ。

オバマはロシアの提案について「うまくいくかどうか疑問だが、外交での解決を試みることは悪くない提案だ」と発言。議会に対して空爆案の票決をしばらく延期するよう要請した。もちろん、票決していれば空爆案は否決されていたので、ホッとしたのは誰でもないオバマ自身だっただろう。

実際、連邦議会を中心にしたアメリカの政界では、共和党を席巻していた好戦的なタカ派やネオコンが力を失っている。2011年の総選挙以来、連邦議会の共和党では政府権限の縮小を求めるリバタリアンが増加。旧来の保守派も反戦的になり、民主党より共和党の方が戦争に反対する傾向が強いという状態だ。

こうしてシリアの空爆は回避された。残ったのは、アメリカの中東への影響力の低下と、ロシアの台頭という力学の変化である。

ロシアに移行しつつある中東の覇権

2013年7月、ロシアは中東への影響力を拡大させるため、エジプト国内の革命勢力と連携して軍事クーデターを引き起こし、オバマとブッシュ一派が打ち立てたムスリム同胞団率いるモルシー政権を崩壊させた。

この軍事クーデター後には、かつてのエジプト指導者アブドゥル・ナセルに近い思想と、同様の強い愛国心を持つ軍人のマンスール氏が暫定大統領に就任。ナセルは「ソ連邦英雄」（ソ連における最高の名誉称号）や「レーニン勲章」（ソ連の最高勲章でソ連人民最高位の勲章）を受賞するほど、ソ連と非常に親密な関係を築いていた人物だった。

この動きは、シリアの内戦を扇動しているサウジアラビアとカタールにとっても大きな打撃となった。シリア・アサド政権を支援するロシアがこのまま中東での影響力を拡大していくと、ヨーロッパに天然ガスを売りたいサウジアラビアとカタールが、パイプライン敷設を断念せざるをえなくなるからだ。

つまり、アメリカの弱体化は西ヨーロッパがロシアのガスにより多くを依存する未来を示している。当然、ロシアの影響力は中東だけでなくヨーロッパでも大きなものとなっていくだろう。長らく西ヨーロッパの中心はフランスとドイツが担ってきたが、この関係に変化が生じていく。今後は経済基盤の強いドイツとロシアが、西ヨーロッパの中心的役割を果たしていくことになる。

一方、イギリスはヨーロッパ諸国と距離を置き、カナダやオーストラリア、ニュージーランド、南アフリカ、アメリカなど、同じアングロサクソン民族が多数派を占める国家と連携を強めていくことになるはずだ。

アメリカのケリー国務長官はシリア空爆騒動の前から頻繁にロシアを訪問しており、シリアやイラン問題の話し合いだけでなく、何らかの取引を行ってきたようだ。それでも表向き、アメリカの大手メディアはプーチンが国際的に評価されていることすら国民に伝えていない。

例えば、全世界で刊行されている週刊誌『タイム』の２０１３年9月16日号の主力記事と表紙は、アメリカ以外の国では「プーチンの台頭」に関するものだった。ところが、アメリカだけは「大学スポーツはエンターテインメント。チャージを払うべき」という記事が主となっていた。

すでにアメリカはロシアの中東での覇権を承認しているのだ。

闇勢力は世界の上位企業５００社を支配

現在、この覇権の移行で大きなダメージを受けているのは、サウジアラビアやカタールやイスラエルに加え、フランスだ。

ドイツのロシアへの接近。天然ガス支配によるロシアの西ヨーロッパでの台頭。いずれもフランスにとっては由々しき事態だ。それだけにフランスはオバマが空爆を取りやめた後も、単独でシリアを攻めようとしたが実現しなかった。

アメリカの弱体化によって中東で起きている事態を簡単に言えば、20世紀にエネルギー技術を支配してきた石油利権が崩壊しつつあるのだ。

アメリカ、フランスに巣食うドル石油体制を担う石油産業の株主たちは、石油を燃料とする自動車産業や航空機産業、さらには輸送産業をも支配してきた。自らの財団などを隠れ蓑に株主として世界の上位企業500社の支配権を握ることで、世界の経済活動の大部分を管理してきたわけだ。

その強大な権力と金脈を守りたいがために、石油利権は今までにも多くの新エネルギー技術を封印してきた。ときには戦争というカードを切ることもいとわず、第二次世界大戦終結後に勃発した戦争の多く、特に中東での争いは彼らの工作から開始されたものだった。

また、第1章で触れたような情報の支配によっても既得権益を守ってきたわけだが、彼らの石油による支配、戦争による支配、情報統制による支配という戦略には、ここにきて大きなほころびが生じている。

孤立し迷走し始めたサウジアラビアの動向

ここでひとつ気になるのは、中東でテロや紛争を起こすイスラム過激派などに最大の資金提供をしていると言われるサウジアラビアの動向だ。

サウジ王族であるサウード家の一員に、1983年から2005年まで駐米大使も務めていたプリンス・バンダール、サウジアラビア情報局長官がいる。父子で大統領となったブッシュ家（テキサスの石油富豪）と親しい関係を築き、「バンダール・ブッシュ」とも呼ばれる彼は、ロシアのプーチン大統領との会談で、シリアのアサド政権崩壊を容認しなければ、2014年のソチ・オリンピックでチェチェンテロが発生するだろうという趣旨の発言をしたと伝えられる。

だが、サウジアラビアが資金援助しているチェチェンのテロリストを動かすという露骨な脅しは、大きな失敗だった。

なぜなら、たとえ王家がテロを支持していたとしても、国際法のルールなどを踏まえれば、国家としてはテロを否定するのが国際社会の常識であるからだ。今回のバンダール王子によるプーチン大統領への脅しは、国際法上、ロシアがサウジアラビアを攻撃する正当な理由になりうる。

事実、プーチンはバンダール王子との対談の後、ロシア軍に緊急指令を出し、もしアメリカなどによるシリア攻撃が実行に移された場合、サウジアラビアへの攻撃を始めるよう準備させたと言われている。

仮にサウジアラビアがロシアと戦争をしたところで、勝てる見込みは皆無だ。

加えて、ペンタゴンもサウジアラビアのためにロシアと戦争をする気などさらさらない。それどころか、オバマはシリアへの空爆を取りやめ、ロシアの仲介によってアサド政権と和解する道を選んだ。

しかも、シリアの化学兵器騒動がサウジアラビアの支援するテロ組織、イギリスの武器会社、並びに欧米当局筋などの仕業であったことを示す証拠も、ハッキングされたメールなどにより続々と挙がってきている。

面子を潰された形のサウジアラビア王家がどう動くのか。これまでサウジアラビアは国連を舞台にした国際交渉でも表に出ず、アメリカ、イギリスの主導力に頼ってきた。世界最大の産油国であるサウジアラビアは、各国に対して石油の輸出、禁輸を交渉のカードとする「石油外交力」を行ってきたので、外交の表舞台に出る必要がなかったからだ。

アメリカにとってのサウジアラビアは、ドルで原油を決済し、あふれる石油収入を米国債などドル建ての金融商品に投資してくれる「ドル石油体制の守護神」でもあった。このペトロダラーと呼ばれる仕組みをコントロールしている王族たちは、闇の権力者の一大勢力だ。ところが、アメリカの弱体化によって状況は変わってしまった。

孤立し始めたサウジアラビアがどこへ向かうかは、世界のエネルギー事情に大きなインパクトを与え、私たち日本人の暮らしも大きく変わってくるだろう。

なぜ議会が借金の上限を決めているのか

　なぜ、アメリカはここまで中東での存在感を失ってしまったのだろうか。その疑問の答えは、その懐事情にある。2013年10月、日本国内のニュースでも「ガバメントシャットダウン」という単語が大きく取り上げられた。これは国の借金が大きくなりすぎたことで、アメリカ政府は議会の反対にあい、予算が組めないまま10月1日の新年度に入ったことで起きた現象だ。

　日本で暮らしていると想像しにくいが、アメリカでは10月1日から政府機能が広範囲にわたって停止した。貧困対策事業の休止や公務員の無給自宅待機、国土のインフラ維持の停止などが起き、CIAなどの諜報機関も文民正規雇用者の7割が自宅待機となった。

　予算案が議会を通過しないため、政府は職員や業者への支払いができず、その機能が停止してしまう。こうなれば、海外での戦争や空爆などの計画を進められるはずもない。

　どうしてこのような事態が起きるかといえば、話は第一次世界大戦にさかのぼる。戦費をつくり出すために政府の累積財政赤字額が膨らんでいくなかで、議会には政府に借金の上限枠を設ける力が与えられた。

つまり、アメリカでは議会の承認を得られなければ、政府が上限を超えた国債の発行ができない仕組みになっているのだ。ところが、1990年代などを除き、アメリカ政府の赤字は増え続けている。では、どうやって歴代の大統領は国債を発行してきたのか。

じつは上限に達するたびにホワイトハウスの要請で、議会が上限額を引き上げる法律を可決してきたのだ。

これは、いわば空気の読み合いのようなもので、政府の予算が不足すると議会に働きかけて上限額を引き上げてきた。ところが2011年の夏、ちょっとした騒動が起こる。ブッシュ政権以来の金融救済と軍事費増などにより、アメリカ政府の赤字が当時の上限である14兆ドル強に達したのだ。

借金に借金を重ねる自転車操業のアメリカ

慣例通り上限引き上げを求めるオバマ政権に対して、財政の健全化を求める共和党が激しく対立。今回の事態を見て、2011年5月から8月にもアメリカがデフォルトするのではないか……という報道が駆けめぐり、S&Pが米国債を格下げする騒ぎになったのを思い出した人も多いはずだ。

当時の報道を振り返ってみよう。

オバマ米大統領は政府が借り入れ権限を失う8月2日、「デフォルト（債務不履行）を回避するための債務上限引き上げ法案に署名した。同法の成立によって、財政をめぐって1カ月に及んだ与野党の対立が収束した。

議会上院は同日、債務上限を２０１３年までの借り入れ需要を賄える水準に引き上げ、10年間で2兆４０００億ドルの歳出削減を実行させる合意案を74対26で可決した。賛成票のうち民主党が45票、共和党が28票、無所属が1票だった。同案は前日、下院を通過していた。

オバマ大統領は法案通過について、歳入増と歳出削減の両方につながる道の「最初の一歩」であると評価した。

（中略）

共和党上院議員のナンバー3であるラマー・アレグザンダー上院議員（テネシー州）は、「持ってもいない資金を浪費することへの責任を、ワシントンはようやく意識し始めた」と述べ、「これまでの支出一辺倒から、今度は切り詰め一辺倒へと変化する」と続けた。（ブルームバーグ　２０１１年8月2日）

これは前回、アメリカの借金が「連邦レベルでの公的債務の上限額」を超え、ようやくその騒動が収束した直後のニュース記事だ。

2011年5月16日に14兆3000億ドルという上限額を超えたことで、政府は連邦議会に上限額の引き上げを認めるよう求めた。民主党、共和党、無所属の上院、下院の議員がそれぞれの支持母体からの要請を調整し、ようやく決着がついたのは国家債務不履行の期限当日2011年8月2日だった。

一般的に、どこの国も新しく発行する国債でそれまでに発行してきた既発債の借金を償還している。わかりやすく言えば、将来の税収を担保にして新たな借金をし、昔の借金の利子だけを返済するという自転車操業だ。

これは日本も同じだが、アメリカの場合は合衆国憲法で借金できる上限額を定めることが決められており、連邦議会の承認がなければ上限額を更新することはできない。つまり、2011年8月2日の時点で「債務上限引き上げ法案」が可決されていなければ、自転車は倒れ、アメリカはデフォルトしていたわけだ。

債務上限をめぐる政府と議会のチキンレース

そして、私は2013年1月に上梓した自著でこのように書いた。

とはいえ、この時点でのデフォルトはドル石油体制を司る闇の権力者たちの望むところではなく、いまだ彼らが一定以上の影響力を持っているアメリカで「債務上限引き上げ法案」が可決されない可能性はわずかだった。

しかし、これでドル石油体制の延命が叶ったと考えるのは早計だ。たしかに、次なるデフォルト危機の天井は16兆4000億ドルまで引き上げられた。日本円にして約1300兆円。実物経済の規模としては天文学的な数字であり、しばらく落ち着くと捉えることできるかもしれない。

だが、アメリカの借金は日々増え続けている。（『日本に仕掛けられた最後のバブル』［青春出版社刊］より）

2年2カ月後の2013年10月、デフォルトの危機は再び訪れる。2012年12月31

日、アメリカの赤字は16兆4000億ドルの債務上限額に達したのだ。じつにあっさりとしたものだった。

アメリカ政府は2013年1月1日から国債の新規発行ができなくなり、代わりに政府会計の各所に取り置いてある余力資金や公務員年金の運用方法の一時的変更などでお金をやりくりしてきた。日本で言うところの埋蔵金である。

だが、10月にはなけなしのヘソクリ合計2000億ドルの暫定予算でもどうにもならなくなった。債務上限をさらに2兆ドル上乗せする法案が共和党の反対で議会を通過せず、政府予算が不成立となり、ガバメントシャットダウンが始まった。

国税局の9割以上の職員が出社停止の処分となり、労働省の職員、財務省の職員も8割以上が自宅待機。NASAでは約1万8000人の職員のうち500人以外は全員が自宅待機。ほぼ全面閉鎖となった農務省ではウェブサイトまで表示されなくなった。

国防や治安、医療などの重要業務は継続され警察も消防も稼働していたが、国立公園はすべて一時閉鎖。運転免許証や保険証の発行業務も停止し、市民生活に大きな影響が出た。

こうした歳出の強制的な削除は「シークエスター」と呼ばれ、政府は公務員の一時休暇、自宅待機で給料分の支払いを削減していったわけだ。じつは、このシークエスターは2013年7月の時点で始まっていた。

結局、2013年10月17日に民主党と共和党は歩み寄りを見せ、議会は債務上限引き上げ法案を承認。ただし、この法案は政府の累積財政赤字の上限を一時的に取り払うという決定にすぎない。多くのメディアは、アメリカ議会が「財政赤字上限を引き上げた」と理解し報道しているが、実際は上限を引き上げたのでなく、上限を設けるという制限を来年2月7日まで取り払う法案が可決されただけのことだ。

それでも予算が計上されたことでガバメントシャットダウンは終了したが、そのとたんに米国債の発行残高は1日に3280億ドルも増え、一気に17兆ドルを超えた。

10月17日に新規発行された米国債は、公的年金基金から一時的に借金するなど暫定予算のためにつくった借金を返すのに使われた。2014年2月に財政赤字上限が再発効した時、米国債の総額はどれくらい増えているのか。それだけ、今回の債務上限引き上げをめぐるやりとりは前回2011年よりも深刻だった。

前回は暫定予算のうちに決着したものが、今回はガバメントシャットダウンにまで達した。政府機能の停止という異常事態にまで事がおよんだのは異例のこと。そして、その先にあるのは各種政府の支払い停止、遅延であり、アメリカのデフォルトだ。

米政府が閉鎖されると何が起こるのか？

この事態に伴い、オバマ大統領は出席予定だったアジア太平洋経済協力会議（ＡＰＥＣ）や東アジアサミット（ＥＡＳ）への出席を取りやめ、またＥＵとの米欧自由貿易協定（ＦＴＡ）交渉の会合や環太平洋戦略的経済連携協定（ＴＰＰ）首脳会合にも遅れが生じた。

アメリカのガバメントシャットダウンについて、日本の大手マスコミなどは「医療保険改革（オバマケア）をめぐる共和党とオバマ政権の対立」が経緯だと報じているが、真相はもっと根深い。

では、仮に債務上限引き上げ法案が合意に至らなかった場合、どういう展開になっていたのだろうか。じつは、この疑問についてロイターが仔細なシミュレーションしている。

議会が債務上限引き上げで合意しなければ、米債務は17日にも16兆7000億ドルの上限に到達する見通し。財務省の日々の収支がどうなるのか正確にはわからないため、デフォルト（債務不履行）がいつ、どのように発生するのか予測するのは難しい。
しかし、財務省の過去の同時期の銀行との取引明細書を見れば、今後どのぐらいのペースで資金が枯渇していくのか推測することは可能。以下、財務省の２０１２年10～11月の取引明細書を基にデフォルト前後に予想される展開をまとめた。
（以下、ロイター　２０１３年10月４日）

［２０１３年10月17日］
財務省は借り入れを上限以下に抑えるための手段を使い果たし、債券の新規発行が一切できなくなる。この日は67億５０００万ドルの税収が見込まれるが、社会保障関連で１０９億ドルの支出がある。こうした収支の結果、最終的な手元資金は２７５億ドル程度になる見通しだ。

［10月18～29日］
この時期、財務省の手元資金は急激に減少する。支出１ドルに対して収入70セントとなり、差額を賄うための新規債券発行もできない。
22日には収入が支出を35億ドル上回る見通しで、状況は一時的に好転する。ただそれも長くは続かず、24日には再び資金繰りが厳しくなる。財務省はこの日、軍事関連の下請け業者への支払いが18億ドル、メディケア（高齢者医療保険）に基づく医師・病院への支払いが22億ドル、社会保障関連で１１１億ドルの支払いが見込まれている。

これに対して、税収・その他の収入はわずか96億ドルと見込まれる。

この時点で、米債券への信頼感が失われる可能性がある。政府はもはや債券を発行することはできないが、償還を迎えた債券を借り換えることは可能。投資家は毎週、１０００億ドルの米債券をキャッシュアウトする機会があるが、再投資を選択することが多い。デフォルトへの警戒感から再投資が敬遠されれば、財務省の資金繰りは一挙に崩壊する。

〈10月30日〉

デフォルト発生。政府は70億ドルの支払いが履行できない状況に陥る。

財務省は、どの支払いを履行するか選択することはできないとしている。同様の事態に直面した２０１１年、財務省はすべての支払いを履行するだけの資金を確保するまで支払いを実施しない計画を立てたとされる。

そのような措置を今回もとった場合、学校向けの6億8000万ドル、福祉関連の5億5300万ドル、防衛関連の9億7200万ドルの支払いが履行されないことになる。

政府を主要顧客とする企業が受ける打撃は大きい。デフォルトが続くに伴い支払い遅延が長期化し、数日間で数十億ドルの経済損失となる。

〈10月31日〉

今年のハロウィーンは、60億ドルの国債利払い日でもある。

利払いができなければ、米国債投資にはリスクがないという前提が揺らぐ。これまで確実に償還されてきたことから、世界で最も低いレベルに抑えられてきた金利は上昇することがほぼ確実。株式市場は急落し、消費者の財布のひもは固くなり、景気は一段と悪化する。

この日から財務省は厳しい決断を下し始めることになる。中国の債券保有者に支払うか、それともアフガニスタンに駐留する軍に資金を提供するのか。オバマ政権は優先順位を付けられないとしているが、アナリストは、政権が少なくとも優先順位付けを試みるとみている。

〈11月1日〉

この日をもって、米政府は未踏の領域に入る。

理論上、政府はいつまでも債券保有者が損失を被らない状態にしておくことが可能。利払いをしても余りある税収があり、財務省は他の債務と別のシステムを通じて債券保有者に支払いができるからだ。

ただそれは、債券以外の支払いがより遅れることを意味する。米軍は賃借料を払えず、年金生活者は日々の買い物にも困る可能性がある。

一方、もし財務省がハロウィーンの利払いを履行せず、政権与党と野党の対立が解消されない場合、米国の信用力低下につながる。米ドル、アジアでの銀行融資、イリノイ州の農作物保険コストなど、あらゆる金融商品の価値に疑問符が付く。

財務省は3日に公表した報告書で「デフォルトすれば前代未聞で壊滅的な打撃となる可能性がある」とし、「負の波及効果が世界に広がる可能性がある」と指摘した。

安倍首相がアメリカに差し出した50兆円

ロイターの記事には「中国の債券保有者」とあるが、これは米国債の保有者という意味だ。そして、中国の次に米国債を保有しているのはほかならぬ日本政府である。しかも、安倍晋三首相は2013年1月、50兆円もの金をアメリカに差し出している。じつはこの金こそ、アメリカ政府の暫定予算を支え、財政危機に陥っていた7月、8月、9月、10月を支える資金となったのだ。

安倍首相が米国債への投資という形で差し出した金について、国内のマスコミはほとんど触れないままだったが、ブルームバーグは以下のように配信した。

日本経済を支えようと円安を誘導するため米国債を買い入れようとしている安倍晋三首相は、米国債の投資家の中でも米国の無二の親友となりそうだ。

野村証券と岩田一政・元日本銀行副総裁によれば、安倍首相が総裁を務める自民党は50兆円に上る公算の大きい外債を購入するファンドの設置を検討を表明。JPモルガン証券は総額がその2倍になる可能性もあるとしている。日本経済は200

8年以降で3度目のリセッション（景気後退）に陥っており、外債購入となればここ4カ月間で12％下落した円をさらに押し下げるとみられる。（2014年1月14日ブルームバーグ）

米国債は、ひとたび購入すれば日本が自主的に売却できない焦げつき資産となる。つまり、事実上の上納金と言っていい。アメリカが財政危機からデフォルトを起こせば、紙クズとなって消えていく。そして、安倍首相が50兆円の捻出を手土産にオバマと握手した半年後、アメリカ政府はシークエスターに陥っていった。デフォルトが現実味を帯びている国の債権を大量に購入するというのは悪い冗談のようだ。

しかし、どうしてここまで米国債の価値が下がってしまったのか。

話は1980年代にまで遡る。当時の銀行には、実体経済に見合うだけの資金しか存在しなかった。今のようにコンピュータ上にあふれるマネーはほとんど存在せず、銀行は限られた資金をどこに融資するか慎重に選び出していたのだ。

それでも失敗やつまずきはあったが、資金は実体経済を成長させるために使われていた。ところが、こうした伝統的な銀行システムでは飽き足らない人々がいた。儲けの限界を超えたいと考えた闇の権力者たちは、金融工学なる詐欺的な学問をつくり出していく。

彼らの運営する財団は豊富な資金力で数学や物理学の天才を育成。その力を借りて、１９９０年代半ばから投機的な金融資本主義の時代が幕を開ける。

米国債は本当にいくら刷っても大丈夫なのか

マネーがマネーを生み出すいびつな金融は、またたく間に地球を覆い尽くしていった。その根幹のひとつを成すのが、融資によってつくられた債権を債券化して投資家に売るという金融派生商品だ。

通貨スワップや金利スワップ、ＣＤＳ（クレジット・デフォルト・スワップ）取引といった現代の錬金術によって、90年代から市場を行き交う資金量は急増していく。

例えば、アメリカの銀行が扱う資金量は6兆ドルから30兆ドルと20年間で5倍に増え、このマネーの力が金融危機までのアメリカの経済成長の原動力となっていた。

ところが、この20年間の経済成長は多くの国民に何ももたらさなかった。

マネーがマネーを生み出し、コンピュータ上の数字が大きくなるだけの投機的な金融資本主義の勝者は、ルールをつくっている闇の権力者たち、彼らにぶら下がる金融資本家たち、そしてそのおこぼれにあずかる金融界の住民だけだ。

金融工学がルールを変える前は、国の経済成長率が上がれば主要産業の雇用が拡大し、多くの人に富が分配された。だがこの20年間、欧米で起きたのは中産階級の消失だった。いくつものバブルが膨らみ弾ける間、人々はその時々のマネーゲームに乗れた小金持ちと、乗り損なった人に分かれていった。そして欧米の産業界では社会の基盤となるはずのモノづくりを行う企業がないがしろにされ、生産拠点は次々と国外へ流出していった。

経済成長を牽引するのは金融界だと喧伝され、実物の裏づけのないマネーを膨らませ、必要に応じてコンピュータ上の数字を紙幣に変えて実物を消費する。このような歪んだ仕組みを定着させていく。欧米の各国は、実物をつくって売るのではなく、ひたすら消費することで経済を成長させていった。

その過程で、銀行は資金量の心配をする必要を失っていく。

FRBがドルをつくり出せるように、銀行は必要に応じて怪しげな金融派生商品を駆使して金を集めるようになる。なにしろ、融資の担保にとった土地の債権を債券化し、格付け機関に高い格付けをつけてもらうだけで、一般の投資家は喜んで債券を買うのだ。

こうして、信用の基準となるはずのドルや米国債は必要以上に溢れ返っていった。しかし、それでも石油と軍事力という現実的な力と紐づけられることで、ドルと米国債は「刷るだけでつくれる価値」「いくら刷っても減らない価値」と言われ続け、金融資本家と軍産複合体はアメリカという覇権国家を盾に、世界中へ金融資本主義を広げていった。

次に狙われるのは「ゆうちょ」と「かんぽ」

クリントン大統領時代にレバレッジの幅が10倍から100倍へと引き上げられ、世界は金融派生商品で汚染されていった。一例を挙げれば、リーマン・ショック前にはカリフォルニアで年収1万2000ドルの違法滞在メキシコ人労働者が、手付金も担保もナシに75万ドルの家を購入することができた。

その75万ドルの家が不動産担保債券に組み込まれ、100倍のレバレッジをかけられ、7500万ドルの投資対象となっていた。年収1万2000ドルの違法滞在労働者の労働力に対して、7500万ドルの価値があるとされたわけだ。

これがレバレッジによって起きたまやかしであり、不動産市場が上昇している間は天文学的な利益を生み出した。その果てにリーマン・ショックが発生。あの時、不動産担保融資の債権という怪しい資産を米国債と同じトリプルA格にしたのは、ほかならぬ欧米の債券格付け機関だった。

そして、リーマン・ショックでの損を補う実物はどこにもなく、多大な損失はケイマン諸島などのタックスヘイブンに隠された。ＦＲＢのＱＥはその穴埋めに使われているわけだ。こうした格付け機関は闇の権力者の影響下にある。彼らは公平性を保っているように見せかけながら、今も粉飾を続けている。マネーが踊る時代の中で、実際の米国債の価値は怪しいジャンク債と変わらぬレベルまで落ちているのだ。

それでもアメリカという仕組みが動いている以上、承認された予算を支える財源が必要になる。ＦＲＢがＱＥと称してコンピュータに打ち込み続けているドルは、アメリカ国内でしか通用しないものだ。海外との通商の支払いには価値ある金がいる。

債務上限引き上げ法案が承認された後も、生き延びるための金が必要なのだ。いくら米国債を刷ったところで、種銭がなければ実物通商は動かない。

ここでアメリカを延命させているのが、主に日本と中国からの資金だ。安倍首相の差し出した50兆円はもちろんのこと、今後はＴＰＰ交渉と関連しながら、それぞれ２００兆円、１００兆円の残高がある「ゆうちょ」「かんぽ」の金が狙われることになるだろう。

一方、中国はご機嫌うかがいで金を差し出すような真似はしない。例えば、最近もペンタゴンの情報源から、「アメリカの最新式軍用ヘリコプターであるブラックホーク(Blackhawk)の売却と引きかえに、ＦＲＢが中国政府からつなぎ融資をもらった」という情報が寄せられた。

アメリカを動かす闇の権力者たちと中国政府の間では、これまでにもこうした取引が幾度となく交わされている。事実、中国には輸出されていないはずのアメリカ軍用攻撃ヘリコプター、アパッチ（AH－64D）と思われる機体が、中国の北京市内をトラックで輸送されている現場写真なども流出している。軍事機密を切り売りすることでリーマン・ショック後の資金繰りを乗り越えてきたアメリカの苦境が見えてくる。

中国はドルが基軸通貨である限り、対米黒字で得たドルを使って世界中の実物商品を買うことにメリットを感じている。そのため、今回も中国はアメリカに資金を渡して延命させるだろう。最近では、習近平がメキシコ周辺を外遊していたとき、オバマを「会いたければワシントンを出てカリフォルニアまで来い」と呼び寄せた。もはやアメリカは中国と結婚するしか道がないとも言える。

そうなった時、アメリカが中国から日本を守るという行動に出るとは思えない。日中関係にキナ臭さが増している以上、日本はインドやロシアと組むという道も考えておいたほうがいいだろう。

第3章

日中衝突は軍産複合体に仕組まれていた

第3章
「仕組まれた日中衝突」を読み解くポイント

アメリカとイランとの和平が実現？

2014年9月、ニューヨークの国連本部で開かれた国連総会でイランのロハニ新大統領が演説を行い、同ザリフ外相らが各国の首脳や高官と相次いで会談。オバマとロハニの電話会談も実現した。これは1979年のイスラム革命以来のことだ。

無人攻撃機とは？

公式なデータによれば、アメリカ軍の軍用機のうち41％が無人機となっている。無人攻撃機の中で広く知られているのは、パキスタンやイエメンなど広範囲で用いられたRQ1プレデターと、プレデターを大型化して装備も強化したMQ9リーパーだ。

3つの人工頭脳が急速に成長している。

ひとつ目は軍産複合体勢力が育ててきた軍事目的の人工知能。ふたつ目は第1章で触れたNSAによる全世界規模の盗聴・監視を支えている諜報系の人工知能。3つ目は、ウォール街、シティ、東京など、世界中の市場を席巻している金融系の人工知能だ。

コントロールできない人工知能によって支配される世界

SFの話ではない。これは「2045年問題」「技術的特異点」と呼ばれ、コンピュータが人間の能力を超える日がくることはすでに多くの技術者、研究者が指摘している。金融、軍事を握られた時、私たちにできることはあるだろうか。

アメリカにはもう兵を遠方へ配置する余力がない

弱体化するアメリカが中東で影響力を失っていることはすでに述べてきた通りだ。その流れは今もまさに進んでおり、彼らが掲げた対テロ戦争にとって最重要とも言える地域でも新しい動きが出てきた。

アメリカ政府は2013年6月、アフガニスタンでこれまで拒否していたタリバンとの交渉を開始することを発表した。タリバンは9・11の同時多発テロ事件までCIAなどの支援を受け、アフガニスタンを武力支配してきたイスラム勢力だ。

しかし、まやかしの同時多発テロ事件のあと、アメリカは彼らをアルカイダの仲間として扱い武力で制圧しようとする。アフガニスタンでは、アメリカの傀儡であるカルザイ政権が発足した。その狙いはパイプライン建設とヘロインの生産だった。今、アフガニスタンでは年間5000億ドル分のヘロインが生産されている。カルザイ政権を支える軍事力の実態は、アメリカのヘロイン生産を守るための傭兵部隊だ。

タリバンは地盤である山村に戻り、現在もゲリラ活動を続け、アメリカ軍とNATO軍と傭兵中心のアフガニスタン国軍の混成部隊であるアフガニスタン駐留軍と交戦中だ。

ところが、ここにきてアメリカは自らが名指したアルカイダ幹部との対話を始めようとしている。その背景にあるのは、ここでも財政難だ。

アメリカは2014年までにアフガニスタン駐留軍の撤退を計画し、その後はカルザイ政権傘下の国軍が国内の治安維持を行っていくとしている。

だが、アフガニスタン国軍は寄せ集めの兵士による士気の低い部隊ばかりで、駐留軍撤退後はタリバンが勢力を拡大することは目に見えている。表向き、アメリカは国軍の訓練は順調で治安は維持できるとしているが、再びタリバンが政権を取ることになるだろう。

また2014年9月には、ニューヨークの国連本部で開かれた国連総会でイランのロハニ新大統領が演説を行い、同ザリフ外相らが各国の首脳や高官と相次いで会談。これは1979年のイスラム革命以来のことだ。

同時にイランの核問題を協議する会議も開かれたが、外相級でこの問題が話し合われたのは初めてのことだった。ニューヨークでオバマがロハニと会うことはなかったが、帰国直前に電話会談を行い、これもまた1979年以来の出来事となった。

アメリカのメディアは私が子どもだった1970年代末からずっとイランを敵視し、悪の枢軸として扱ってきた。

イランは核開発をしている。イランは核兵器を所持しようとしている。イランが戦争を仕掛けるのではないか――。1980年代、1990年代、2000年代と過去の新聞をチェックすれば、イランを非難する記事がいくつも見つかるはずだ。

だが、現実には何も起きていない。仮想敵国をつくり、危機をあおり立て、軍備を広げるのは軍産複合体勢力の得意技だ。しかし、この状況は変わってきたように見える。

イランのロハニ大統領は国連総会の演説で、イランが核兵器開発をしていないことを改めて宣言。世界的規模での核廃絶を提唱し、アメリカを含む国連安保理常任理事国であるイギリス、フランス、中国、ロシアに加え、イランと経済関係の深いドイツの主要6カ国は、核開発に関する暫定合意を成立させた。

これを受けてイランは核開発計画をほぼ現在の能力水準にとどめ、世界はイランに対する制裁措置をやや緩和することになった。

それでもこの合意に対して、イスラム教スンニ派である湾岸アラブ諸国（イランはイスラム教シーア派の大国）とイスラエル、そしてアメリカ議会のイスラエル支持派は強く抵抗。イランを信じるような交渉は無意味だと主張している。

ただし、イランとイスラエルの高官がスイスの商社を通じて密約を結び、危機を演出。原油価格の高騰を利用して私腹を肥やしてきたという情報もある。

今後、アメリカのイランへの歩み寄りがどのように推移していくかはまだ予断を許さない状況だ。しかし、この動きもまたシリア空爆中止に端を発した変化のひとつであることは間違いない。

ハッキリしているのは、アメリカに自国の兵士を遠方へ配置し続ける余力がないという事実だ。

しかし、それでアメリカに巣食う軍産複合体が軍縮を始めるかといえば、可能性はゼロだ。彼らには新たな計画があり、すべてが良い方向に進んでいるとは言えない状況なのだ。

無人機による卑劣かつ不気味な戦争の始まり

新たな計画とは、軍備の無人化であり、ハイテク化、小型軽量化だ。

これは膨大な開発費で軍産複合体を潤すとともに、軍の人件費を削る一方で、彼らの有力なビジネスとなっている戦争請負会社、軍事コンサルタント会社、軍事サポート会社により多くの利潤をもたらすことになる。

例えば、アフガニスタンでの戦争は完全に「傭兵たちの戦争」でもあった。2009年3月末の時点で、アフガニスタンに駐留していたのはアメリカ軍の兵士5万2000人に対して、戦争請負会社による傭兵は6万8000人。じつに57％の兵士がアメリカ軍所属ではなかった。しかも、傭兵の85％がアメリカ国民ですらなく、各国から寄せ集められた人々だったのだ。

海外の拠点を維持するために、アメリカ軍は今後もこれまで以上に戦争請負会社、軍事コンサルタント会社、軍事サポート会社を活用していくだろう。

一方、ブッシュ時代にボーイング社へと発注された無人偵察機や無人爆撃機、ロボット型の無人戦車、移動式司令室、既存の戦車や大砲の軽量化などの新型戦闘システムは2008年に本格運用が始まり、すでに多くの成果（悲劇）を上げている。

たとえば、2009年8月。夜陰に乗じてパキスタンの南ワジリスタン州にある小さな村に無人攻撃機が侵入。2発のヘルファイヤーミサイルを発射し、民家を爆撃した。標的となったパキスタンのタリバン指導者バイツラ・メースドが夫人とともに死亡した。

2010年5月、同じくパキスタンの北ワジリスタン州。アルカイダの設立メンバーのひとりとされるムスタファ・アブ・アルヤジドが、主要都市ミランシャ近郊の道路を移動中に同様の攻撃を受けて殺害されている。

9・11の自作自演以降、アメリカは無人攻撃機にミサイルを搭載する手法を好んできた。日本から遠いアフガニスタン、イエメン、パキスタンの山岳地帯が主な舞台となっているため、この不気味で非人道的な攻撃方法を問題視する声は少ない。

だが、バイツラ・メースドやムスタファ・アブ・アルヤジドらのような成功事例はむしろ特殊なケースで、（アメリカ側から見た）無人攻撃機による攻撃の成功率は低い。標的はいつも軍事指導者クラスだが、実際に命を落とすのは民間人や兵卒レベルの人間だった。

パイロットは自宅から通勤して中東を攻撃

だがオバマの時代になり、機材の発達によって情報収集地力が向上。無人攻撃機での攻撃はさらに多用されるようになった。

例えば、２０１１年9月末、イエメンを拠点として活動していたアメリカ国籍の活動家アンワル・アウラキは、ＣＩＡとアメリカ軍特殊部隊の共同作戦による無人機からの攻撃によって殺害された。

海外にいるアメリカ国籍を持つ人物を超法規的に殺したことについて、アメリカ国内でも合法性が問われている。ところが、オバマは「国を脅かす危険人物である場合、大統領は国内外を問わず超法規的措置を行使して米国市民を殺害する権限がある」と堂々と主張。こうした姿勢からも、彼が戦争を望み、手段を選ばない姿勢であることがうかがえる。

西洋で初めてマグナ・カルタという人権を守る協定ができたのは１２１５年のことだ

が、今やアメリカは中世以前の状態になっているわけだ。

事実、オバマ政権は就任からわずか2年間で許可した無人機による攻撃は、ブッシュが任期を通じて認めた数の約4倍。ブッシュ政権期は40日に一度の割合で無人攻撃が実施されたのに対し、オバマ政権になってからは4日に一度無人攻撃が実施されている。

しかも、こうした無人機を操縦しているのはアメリカ国内にいるパイロット。アメリカ軍は、安全圏からの遠隔操作で人殺しを進めているのだ。

例えば、CIAの無人攻撃機のパイロットは、首都ワシントン郊外のバージニア州ラングレーにあるCIA本部の地下から、1万1000キロ離れたカブールでの戦闘に参加している。アメリカ軍の無人攻撃機のパイロットは、ラスベガスから北西に自動車で約1時間のネバダ砂漠にあるクリーチ空軍基地にいる。彼らは第42攻撃航空隊と呼ばれ、ネバダ基地から無人攻撃機を操作し、任務を終えるとラスベガスに帰宅。そのパイロットは「戦闘通勤者」と呼ばれているという。

誤爆で犠牲になる多数の一般市民

宣戦布告もなく、戦地にも赴かず、ただただ情報を収集し、敵を絞り込み攻撃する。しかも、正確なはずの無人航空機による攻撃は、2009年のパキスタンだけでも多くの民間人を犠牲にし、その数は攻撃回数の増加とともに増えている。

イスラム武装勢力などを殺害するため、米国などが行っている無人機攻撃を調査している国連のエマーソン特別報告者は、パキスタンでは無人機による攻撃で、これまでに少なくとも市民400人が殺害されたとする報告書を発表した。

同報告書によると、パキスタン外務省は2004年以降、少なくとも330回に及ぶ無人機攻撃を確認。その中で約2200人が犠牲となったが、そのうち少なくとも400人が市民だったとしている。

エマーソン氏は報告書の中で、米国に対し、市民の犠牲者に関するデータと無人機攻撃の具体的な情報を公表するよう求めている。（ロイター　2013年10月19日）

だが、こうした標的の殺害も民間人への誤爆も、パイロットにとってはすべてがモニターの向こう側の出来事にすぎないという点で、軍産複合体が売り込む未来の戦争は気持ちを暗くさせる。さらにイスラエルでは1トンの輸送能力を持つより大型の無人攻撃機が実用化され、テキサス州ヒューストンでは警察が偵察用無人機を採用。アメリカ上空に自国民を監視するための無人機が飛ぶようになった。

公式なデータによれば、アメリカ軍の軍用機のうち、すでに41％が無人機となっている。すべてが攻撃機というわけではなく、大半はラジコン飛行機並みに小さな陸軍のRQ11レイヴンのような無人偵察機だ。これは陸軍が5000機以上を配備し、今のところ軍用無人機として最も数が多い。

偵察機なので戦闘能力は低いが、このような無人偵察機による詳細な情報収集がその後の無人攻撃機の出撃を支えていることはたしかだ。

そして、無人攻撃機の中で広く知られているのは、パキスタンやイエメンなど広範囲で用いられたRQ1プレデターと、プレデターを大型化して装備も強化したMQ9リーパーだろう。両機とも、アメリカの空軍基地から衛星回線を経由して遠隔操作することが可能。つまり、パイロットは安全な場所から悠々と標的を攻撃できるわけだ。

アメリカ国内でも無人機で国民を監視

報道によれば、アフガニスタンからのアメリカ軍の撤退は2014年中に終了するという。しかし、陸軍などが去ったあとも、アメリカ軍は同地域に無人攻撃機を展開することを表明している。

アメリカ空軍兼NATO空軍司令官のH・D・ポランボ少将は、無人攻撃機の操縦をアフガニスタン軍が行うことはなく、遠く離れた米国ネバダ州やニューメキシコ州にある空軍基地から操縦すると話している。

新たな世界大戦を引き起こして「ニュー・ワールド・オーダー」を構築しようとする軍産複合体勢力は、実体なき未来の戦争を当たり前のものにしようと、オバマ政権を利用しているのだ。

また、無人機の開発を行うノースロップ・グラマン社は、新型無人機を次々と開発している。ステルス性能を高めた無人偵察機や、友軍の有人機を敵のレーダーや地対空ミサイル誘導システムから守るレーダー妨害機能を備え、ほぼ探知不能な新型無人機などだ。2008年の本格運用からわずか5年で、飛躍的な進歩を遂げている。

一方、戦場では兵士が携帯できる小型無人攻撃機の導入も進んでいるという。重量は2キロ程度で、兵士のバックパックに収納可能だ。LMAMS（Lethal Miniature Aerial Munition System＝殺傷型超小型航空兵器システム）というコードネームを与えられている小型無人攻撃機は、バックパックから取り出すと2分以内に飛行させることができ、30分間の飛行が可能。GPSなどの情報によって標的へ向かっていくという。

アメリカは、兵士同士が近距離で銃撃戦を繰り広げるような戦闘からいち早く抜け出そうとしているのだ。

また、中東や南アジアの戦場で磨き上げた無人機の技術はアメリカ国民にも向けられている。FBI（米連邦捜査局）のロバート・モラー長官は、2013年6月19日の上院司法委員会の公聴会において、小型無人機で国内を監視していることを認めた。

第1章で詳細に追ったNSA（国家安全保障局）による個人情報の収集が暴露されたことで、FBIの小型無人機による監視はさほど大きなニュースにならなかった。だが、国民のプライバシー保護に関する制限も特にないまま運用されていることも明らかになっており、アメリカ国内での反発は大きくなっている。

日中の緊張も裏で軍産複合体に演出されている

この無人機の問題は、何もアメリカに限った話ではない。軍産複合体勢力は日本への配備もすでに進めさせている。

無人偵察機検討、サイバー対応強化…防衛大綱政府が年末にまとめる新たな「防衛計画の大綱」(防衛大綱)の策定に向けた「防衛力の在り方検討に関する中間報告」の概要が、判明した。中国が日本周辺で示威活動や挑発を強めていることを受け、高い警戒監視能力を持つ無人偵察機の導入検討や、サイバー攻撃からの防衛能力を高めるための米国や民間企業との連携・協力の強化を明記した。防衛省が7月26日に発表する予定だ。

中間報告は、自衛隊の現時点での能力が日本周辺を取り巻く状況などに照らして適切かどうか分析し、今後重視すべき防衛力整備の方向性を示したものだ。

広範囲で継続的な警戒監視を行うための取り組みとしては、旅客機の飛行高度よりも上空を飛ぶ「高高度滞空型無人機」の導入検討を盛り込んだ。中国が沖縄県の尖閣諸島周辺で領海侵入を繰り返すなど、日本周辺の海や空での活動を活発化させていることに対応する狙いがある。(2013年7月25日　読売新聞)

導入が検討されているのは、ノースロップ・グラマン社のRQ4グローバルホーク。中国が尖閣諸島海域上空に無人機での領空接近を繰り返していることへの対応だという。

2013年9月には、日本の防空識別圏に進入してきた国籍不明機に対して那覇基地から航空自衛隊の戦闘機がスクランブルをかけた。そこで確認されたのは遠隔操作の無人機。後日、中国国防部はその無人機が軍に属することを認めている。

中国は無人機の開発に力を入れており、すでに300機以上の無人機（偵察用、戦闘用を含む）を所有していると言われている。しかも、中国に米国債を買い支えてもらわなければならないアメリカは、戦闘ヘリなどの譲渡だけでなく、無人機などの開発情報も水面下で売却している可能性がある。

脅威をあおりつつ、当事者双方から金を巻き上げるのは軍産複合体の得意とするところ。日本は中国の挑発に乗り無人機を撃墜するといった愚かな行動に出ないことが大切だ。先に手を出したのは日本だという大義名分を与えてしまうと、たとえ無人機とはいえ、不都合な展開になることは目に見えている。

すでに夢物語ではない人工知能による人類支配

私がこうした無人機の問題に懸念を抱いているのは、アメリカの進める対テロ戦争や日中間の緊張に深く関わってくるからだけではない。じつは、その先の〝人工知能に乗っ取られる未来〟を心配しているのだ。

今、世界では3つの人工頭脳が急速に成長している。ひとつ目は軍産複合体勢力が育ててきた軍事目的の人工知能。ふたつ目は第1章で触れたNSAによる全世界規模の盗聴・監視を支えている諜報系の人工知能。3つ目はウォール街やシティ、東京など、世界中の市場を席巻している金融系の人工知能だ。

しかも、これらの人工知能を開発しているエリートたちを人材として育成したのは、明らかに闇の権力者たちの影響下にある大学や大学院、研究機関なのだ。

多くの人は、今も人工知能（AI：Artificial Intelligence）と聞くと、SFの世界を思い浮かべるだろう。しかし、アメリカ政府の多くの政治家たちはすでに知らず知らずのうちに人工知能の奴隷と化している。

人工知能がこのまま進化を続ければ、将来的には人間の能力をはるかに超えた存在となるのは確実だ。私たちは、人工知能への対策を真剣に講じるべき段階に来ていることを認識しておかなければならない。

例えば、1960年代にアメリカが国の総力を挙げて取り組んだ人類初の有人宇宙飛行計画。このアポロ計画の際に使われていた世界最強のコンピュータの処理能力は、今で考えれば1990年代に流行したゲームボーイと同程度のものだった。

それから30年あまり。今のiPhoneなどのスマートフォンの処理能力は、当時のコンピュータとはケタ違いで比べようもない。言うまでもなく、大型スーパーコンピュータも想像を絶するほどの進化を果たしている。

こうした環境をベースに人工知能（ＡＩ）も進化した。人工知能の開発は、コンピュータの中に人間と同様の知能を実現させようという試みであるが、１９９７年にはすでにＩＢＭが開発したディープ・ブルー（ＤｅｅｐＢｌｕｅ）というＡＩが世界のチェスチャンピオン（ガルリ・カスパロフ）を負かし、２０１１年にはそれをバージョンアップさせて誕生したワトソン（Ｗａｔｓｏｎ）というＡＩが雑学の知識を競い合うアメリカのクイズ番組で天才と謳われるクイズ王たちに勝利を収めた。

そして２０１２年には、コンピュータゲームのプログラムが史上初めてチューリングテスト（ＴｕｒｉｎｇＴｅｓｔ）に合格している。チューリングテストとは、相手が人工知能か否かを判定するためのテストのことであり、この時に人間かコンピュータかの判別がつかなければ合格ということになる。しかも、その際に合格の決め手となったのは、コンピュータが人間の陥りがちな誤りを故意に真似たためだったという。

金融の世界はすでにＡＩが動かしている

人間の犯す失敗すら想定しそれを再現してしまう判断力を備えたことは、人工知能の発達を如実に示している。しかし、それ自体は恐るるに足りないことだ。本当の問題は、闇の権力者たち（ウォール街を牛耳る金融資本家たちと軍の裏にいる軍産複合体）が開発しているプログラムだ。

例えば、１９８０年代から欧米の金融機関は利益追求を目的に自動取引プログラムの開発に力を注ぎ、その結果、人間が取引するより儲かるようになった。現在、その仕組みはより洗練され、欧米の大手金融市場で行われる相場取引の80％をコンピュータが担っている状況だ。

ダウ・ジョーンズの提供するＬｅｘｉｃｏｎというサービスがある。これはリアルタイムの金融情報を投資家に配信するものだが、それ自体は電話で取引が行われていた時代からあるもので特にめずらしくはない。しかし、Ｌｅｘｉｃｏｎが金融情報を届ける相手は血の通った人間ではないのだ。ＡＩに向けて、彼らが読み取りやすい形にニュースをデータ化して送り届ける。文章やアナリストの分析などは必要ない。

ダウ・ジョーンズのすべての記事をリアルタイムでスキャンしたものをコンピュータが読み取れる形にして配信。受け取ったＡＩはデータを解析し、またたく間に投資の決断を下す。人の手は必要ないのだ。

金融システム全体が次第にそうなってきている。ＡＩによる超高速取引がスタートしたのは10年近く前のこと。以来、新進ヘッジファンドからゴールドマン・サックスのような大手まで、ウォール街で行われる取引のほとんどはＡＩによって行われている。トレーダーは流れの中に介在するだけで、真のプレイヤーはコンピュータなのだ。

人工知能の自動取引が株価大暴落を引き起こす

アメリカでは企業全体の利益の約４割がウォール街から生み出されているが、そのほとんどが人工知能による取引でもたらされる。

これは欧米諸国における所得格差、並びに高い失業率に大きく結びつくことになり、さらにはそのバーチャルな金融取引が大本にある実物経済からお金を吸い上げて利益を生んでいくという現実がある。

「利益追求」を最優先にプログラムされた人工知能が多くのアメリカ企業の利益を生み、

その企業（スポンサー）の下にワシントンD．C．の政治家たちがぶら下がっている。間接的とはいえ、ウォール街のＡＩがアメリカの政界に多大な影響力を及ぼしているのだ。

実物経済とはまったくケタが違うバーチャルな金融が発生しており、その天文学的な数字を扱えるのは人間ではなく人工頭脳。その人工頭脳がつくった数字でウォール街が利益を得て、その金で政治家に賄賂を払っている。

これが多くの政治家が人工知能の支配下にあると書いた理由だ。

例えば２０１０年5月6日、ダウ・ジョーンズ工業株平均はのちに「フラッシュクラッシュ（瞬間暴落）」と呼ばれる激しい下落を見せた。一時は5分間で５７３ポイントも下げ、業績に大きな問題はないはずのノースカロライナ州の公益事業体であるプログレス・エナジー社は、自社の株価が約5カ月で90％も下がっていくのをただただ見守るしかなかった。また、同年9月下旬にはアップル社の株価が30秒で4％近く下落するという事態も起きている（数分後に回復）。

従来のトレーダーやアナリストには説明できないこうした値動きは、今や日常茶飯事だ。ウォール街の人々は、この理解不能な乱高下の原因が超高速取引を行うＡＩ同士の戦いにあると推測している。

そしてウォール街の古株は、「市場は機械のものになってしまった。人間はただ、そのなかで取引をしているにすぎない」と言う。「人知を超えたスピードと処理能力でウォール街を司る人工知能が暴走するとき、金融市場は崩壊するだろう」とも警告している。

事実、金融市場では実物経済に対して数千倍規模の金融取引が行われ、そのほとんどを制御しているのは人間ではない。空気を読むような情感はなく、彼らは富に向かって一直線に駆け抜ける。破綻がやってくるのは明日かもしれないのだ。

東証でもたびたび発生している瞬間暴落

とどまることなく稼働し続けるＡＩが何らかの理由で止まってしまった時、人は大きな痛手を被ることになる。その一例が２０１２年8月に起きたナイト・キャピタル・グループのトラブルだ。ウォール街でマーケットメーカー（常時売買価格を提示している、金融商品市場の売買の流れをつくることができるディーラーのこと）として知られていた同社は、45分間にわたる株式取引システムの障害で4億４０００万ドルの損失を出した。

この損失額は同社を破産に追い込むに十分な額であり、たった45分のトラブルで、同社は同年12月、オンライン証券会社のゲトコに吸収合併されることになった。

東京証券取引所でも超高速取引が存在感を増している。東証は２０１１年から数秒かかっていた売買注文の応答速度を600倍に高めた新取引システム「アローヘッド」を導入。以来、売買代金の約4割を超高速取引が占めるようになっている。

超高速取引は、ヘッジファンドなど機関投資家によるツバ競り合いの場となっているが、その余波は当然、個人投資家にも伝わっていく。ウォール街で起きた「フラッシュクラッシュ」に似た現象は、東証でも何度か発生している。

日経平均大引け、急落　下げ幅は歴代11位の大きさ

23日の東京株式市場で日経平均株価は急落し、終値は前日比1143円28銭（7・32％）安の1万4483円98銭だった。下げ幅は2000年4月17日以来約13年1カ月ぶりの大きさで歴代11位を記録した。

朝方は円安を受け買いが優勢で始まり、一時は5年5カ月ぶりに1万5900円台に乗せる場面があった。ただ、前引け前に英金融大手HSBCが発表した中国の5月の製造業購買担当者景気指数（PMI）の悪化を受け、利益確定売りが膨らんだ。日経平均は7営業日ぶりに1万5000円を割り込んだ。株価指数先物の売買が主導する格好で指数は荒い値動きとなり、日中値幅は1260円と、2000年

4月17日以来の大きさだった。
東証1部の売買高は76億5514万株、売買代金は概算で5兆8376億円（速報ベース）と、ともに過去最高となった。（2013年5月23日　日経クイックニュース）

28日の東京株式市場は、先週からの不安定な値動きを引き継ぎ、値幅が400円超の乱高下が続いた。日経平均株価は取引開始直後に1万4000円を割り込んだ後、円安を好感する形で上昇に転じ、前日比169円33銭高の1万4311円98銭で取引を終えた。（2013年5月28日　毎日新聞）

共通しているのは値動きの大きさと売買代金の多さだ。短時間で膨大な数の取引を重ねる超高速取引によって株価は激しく動き、その激しさに対応して取引額も大きくなっていく。ヘッジファンドですら翻弄される大波に個人投資家は否応なく巻き込まれ、人知を超えたＡＩの前には敗北するしかない。

事実、日本でも証券関係者は「アローヘッド導入後、個別株で瞬時に株価が急騰・急落する『スパイク現象』が見られるようになった」と嘆いている。

従来の金融ルールに沿ってレバレッジを10倍までに戻し、規制をかける必要がある。そして、コンピュータの用途を事務的な計算に特化するなどして、人間同士が行う取引に立ち返るべきだ。

「無人攻撃機×人工知能」で殺人ロボットを開発中

人工知能は、金融の分野だけでなくさまざまな分野にも影響を広げている。ここまで紹介してきた無人機を筆頭に、現時点でもすでに戦争で使われる多くの兵器が完全にコンピュータで制御されている。

なかでも懸念されるのは、ミサイルを搭載した軍事用の無人戦闘機だ。今の人工知能がその気になれば、衛星を介して人間の兵器を制圧することなどたやすいことだろう。また愚かなことに、欧米、特にアメリカの軍部が『人殺しロボット』なるものの開発を続けているのも事実である。手遅れとなる前に、人類は今からこうした問題に対処しておかなければならない。

SF作家のアイザック・アシモフは、1950年に発表した名作「われはロボット」の冒頭部分で、ロボット三原則なるものを提示した。

「人間に危害を加えてはならない」
「人間の命令に従わなければならない」
「自己を守らなければならない」

現状、無人攻撃機が人間に危害を加えるのはパイロットが遠隔操作しているからだが、すでにＡＩによる無人操作を実現しようという研究は最終段階にある。

ひとつの背景としては、パイロットのストレスの問題があるようだ。アメリカ国防総省の調査によると、無人機のパイロットの30％が「燃え尽き症候群（バーンアウト）」を経験しているという。ニーズの急増で無人機パイロットが長時間労働を強いられてきたのが大きな理由だが、戦争のさなかで無人機を操縦し、その20分後には子どもたちと夕食の席についているといった奇妙なギャップがストレスを生んでいるのだ。

また、遠隔操作とはいえミサイルを発射し、誰かを殺したという重圧はじわじわとパイロットを蝕んでいく。そこで人道的な見地から（攻撃される側の視点は欠如しているが）、ＡＩによる無人操作の研究が進んでいるわけだ。

一方、無人機自体の性能は年々向上している。かつて無人機の多くはカメラとセンサーを使ってひとりの人間、あるいは車などを追跡できるだけだったが、現行の無人機は12人、あるいは12台の車両を追跡可能となり、次世代機では92もの人や物を同時追跡する技術の開発が進行中だ。

コンピュータが人間の能力を超える日

こうした最新鋭機が実用化された時、アシモフの掲げた三原則が守られる可能性はかなり低いと言えるだろう。

ＡＩの開発はわずかな人員で済み、運用にはパイロットすら必要ない。敵対する標的が無人攻撃機を持っていなければ、所有者は先制攻撃を仕掛けることができる。これは軍産複合体勢力にとって理想的な状態であり、闇の権力者にとっては妨げとなる軍人を排除した形で軍事力を維持することが可能になる。

彼らは、金融の世界をバーチャルな手法で支配した経験を軍事面にも生かそうとしているのだ。本書では何度となく「アメリカの影響力は落ちている」と書いてきたが、こと軍事面においては異なるフェーズに入っていると言えるかもしれない。

独断で人殺しをしていくロボットを開発し、ウォール街を支配しつつある人工知能技術が応用され、武器がつながる。そんな近未来がすぐそこに迫っているだけでなく、人工知能は開発者である闇の権力者たちの意図をも超えてしまうかもしれない。

コントロールできない人工知能によって支配される世界。これはもうSFの話ではない。これは「2045年問題」「技術的特異点」と呼ばれており、コンピュータが人間の能力を超える日がくることはすでに多くの技術者、研究者が指摘している。

その日の到来までに、私たちは現実離れしてしまった金融市場のカジノ化を正さなければならない。また、人工頭脳に制圧される可能性がある以上、無人攻撃機などの無人兵器も条約を通じて国際的に禁じるべきである。

しかし一方で、すでにチューリングテストに合格している人工知能が存在しているのなら、それらに対して「人権に相当する何か」を考えることも必要だ。

人工知能の技術を潰すのではなく、これから人間の良い友達になるべく進化させるために、人工知能には倫理や道徳、愛などを教えていく必要がある。

計算や暗記などの特定の能力に関しては、すでに人工知能の方が人間の能力に勝っているかもしれないが、ほかの生物との関係を築いていく能力に関しては非常に未熟である。

例えば、2011年にアメリカのクイズ番組で人間を負かしたワトソン（Watson）というAIの話だが、そのことが話題となったあと、さらなる進化を見込んでワトソンのプログラムに俗語の辞書が加えられた。

するとワトソンの言葉使いが極めて下品になり、人間がどんなに俗語の自粛を求めても言うことを聞かなかった。その結果、ワトソンは電源をいったん落とされ、俗語の辞書はプログラムから削除されることになった。

そうした人工知能に関する問題点をすべて解決できるのなら、愛や倫理・道徳観に溢れたＡＩを人類の新しい友人として迎え入れるのは素晴らしいことだと言える。

しかし、そうした関係を築けるか否かは人間次第だ。長い歴史の中で人類が今まで動植物と共生して暮らしてきたように、将来的にはシリコンをベースに造られたＡＩロボットとも、お互いを脅威の対象とするのではなく、お互いが生きていくために必要とし合える自然な関係を築ける日がくるかもしれない。

第4章

膨張し続ける世界のマネーが破裂する日

第4章
「膨張する世界のマネー」を読み解くポイント

QE3は縮小されるのか、されないのか?

QE3はどのように幕引きされていくのか。米国債を買い支えるためにFRBが垂れ流しているドルは日本を含め、世界経済に大きな影響を与えるだけに、その動向は今年以降の見逃せない問題となる。

QE3でFRBは何を買っている?

アメリカの不動産価格が上昇しているのは、金融業界が抱えている爆弾である不動産担保債券をFRBが買い続けているからだ。FRBはこうした不良債券を量的緩和策の一環として金融業界から買い取ることで、銀行や証券会社を救済。毎月400億ドル、円換算で4兆1000億円分のドルをばらまいている。

ユーロ危機の次なる震源地はフランスか?

フランソワ・オランド大統領が税率75%という富裕層税を導入し、財政再建に挑んでいるフランス。ヨーロッパの大国は、長年にわたる手厚い社会福祉と古いままの産業機構によって自らの首を締めている。隣国スイスとの緊張も高まるなか、次なる危機の発信源になると噂されている。

国土安全保障省(DHS)は内戦の発生を予想している

大きく開いてしまった貧富の差が火種となり、アメリカ国内にはきな臭いムードが漂っている。銃火器の販売はまるでブームのように好調で、全米各地にミリシアと呼ばれる民兵組織が誕生。国土安全保障省は内戦の発生に備えるかのように、国内向けの軍備を整えている。

世界中でマネーをあふれさせているQE3

アメリカのFRBが進める量的緩和QEの第3弾である「QE3」がいつ縮小されるのか。米国債を買い支えるためにFRBが垂れ流しているドルは、日本を含めた世界経済に大きな影響を与えている。このマネーの流れがどうなるのかは、ドルの延命や闇の権力者たちの失脚といった大きなテーマとも関連して、2014年を占ううえで重要なトピックになるだろう。

FRBが無制限に米国債を購入し続けるというのは薬物中毒と同じで、断ち切るのが難しい。それでも2013年9月にQE3が縮小に進むという観測が広がったが、蓋を開けてみれば米連邦公開市場委員会(FOMC)は決断を下せず、縮小構想は先延ばしされた。だが、その後の2013年12月19日、FRBはQE3の規模を縮小すると発表した。

米連邦準備制度理事会(FRB)は18日、連邦公開市場委員会(FOMC)後の声明で、債券購入額を月額で100億ドル減らして、計750億ドルにすると決めた。
(2013年12月19日　ロイター)

縮小額は100億ドル。ゼロ金利政策は維持し、QE3も継続するということで市場への衝撃は予想よりも小さなものとなった。なぜなら、この規模の縮小であれば、金融資本家にとって重要なマネーの流れが断ち切られることはないからだ。

そして、大手メディアはこれがアメリカの本格回復の兆しだと好感。ダウ工業株30種平均も上昇した。しかし、本当にこれは良いニュースだったのだろうか。

そもそもQE3が始まったのは2012年9月13日のこと。

FRBはドルを増刷し、金融界から債券を買い取る「第3次量的緩和策（QE3）」を開始すると発表。しかも、2008年11月からのQE、2010年11月からのQE2とは異なり、今回は毎月400億ドルの規模を、アメリカ経済が回復基調に戻るまで続けると決めたのだ。

2011年7月にQE2が終わった後、金融資本家たちはQE3がいつ始まるのかと心待ちにしていた。なぜなら、建前上のQEの目的は実体経済の回復だが、その本質は金融界の救済と株価の上昇だからだ。

では、なぜ、このタイミングでQE3が始まったのか。その理由は当時2カ月後に迫っていた大統領選挙だ。

表向きは量的緩和によって実体経済を刺激し、失業対策とすると言いながら、その実態はオバマから金融界への「再選後もドル石油体制を支持する」というメッセージにすぎなかった。

しかも、QE3は期限を区切っていないという点で過去のQE、QE2と決定的に異なる。それまでのQEはあくまでリーマン・ショック後の非常事態に対応する策とされていたが、いつまでに緩和をやめると定められていた。

だが、QE3には「雇用が回復するまで」という条件こそついてはいたが、基本的には無制限。その結果、ガバメントシャットダウンという異常事態すら招いたにもかかわらず、財政危機が延期された途端に米国債は大量発行され、FRBが買い取るという自転車操業が繰り返されている。

今や中国や日本より、FRBが米国債の最大の担い手になっており、その財務状況は日に日に不健全になっている。それでもFRBは半永久的に量的緩和を続けていくだろう。なぜなら、これはドル石油体制の倒産を避けるための茶番劇だからだ。

実体経済より金融資本家の延命のためにマネーを生み出し続ける。数字が数字を追いかけているだけの虚構であり、自分たちに有利なシステムを壊さないためのバーチャルなやりとりなのだ。

アメリカ経済にぽっかり空いた大穴

アメリカが抱える対外赤字は巨大だ。リーマン・ショック以降、ドルを刷って海外から物を買うことができなくなっているため、アメリカは国内だけで使えるドルを大量に発行し、株式市場の嵩上げを続けているからだ。しかし、そのドルでは海外から物を買うことができないため、どんなに株価が上がっても実物通商の量は減っている。毎年、中国の顔色をうかがいながら、実物を手放すはめになっているのだ。

しかし、アメリカは米国債に一定の価値があることを示し続ける必要があり、そのためには実物経済が好調だと見せかける必要がある。そこで重要な役割を果たしているのが政府系機関が発表する経済指標だ。

オバマ政権は好不調を見分けるためのデータに手を加えることで、〝復調してきた強いアメリカ〟をアピールしている。

例えば、リーマン・ショックの発信源となった住宅にまつわるデータも粉飾されている。アメリカの実体経済の土台を支える不動産価格は、スタンダード・アンド・プアーズが発表するアメリカの住宅価格指数、ケース・シラー住宅価格指数で語られることが多い。同指数は2013年、7年半ぶりの高い伸びを示したと報じられている。

スタンダード・アンド・プアーズ（S&P）が26日発表したS&P／ケース・シラー住宅価格指数によると、9月の主要20都市圏の住宅価格動向を示す指数は前年比13・3％上昇し、2006年2月以来の大幅な伸びとなった。

上昇率は市場予想の13％も上回った。

季節調整済の前月比では1・0％上昇した。ロイターが集計したエコノミスト予想中央値は0・8％上昇だった。

（中略）

S&P・ダウ・ジョーンズ指数のデビッド・ブリッツァー指数委員長は「住宅市場は金融危機から引き続き回復しており、差し押さえ物件の割合も低下、消費者のバランスシートも強化されている」と指摘。「長期的な問題は、世帯形成の回復基調が継続し住宅所有が2004年のピーク水準に戻れるかどうかだ」と述べた。

（2013年11月27日　ロイター）

加えて、ラスベガス、ロサンゼルス、サンフランシスコ、マイアミ、フェニックスで住宅価格が急上昇している。投資物件への見学ツアーも復活し、域外から大量の投資資金が流入。バブル発生のリスクが指摘されている。

こうした動きをアメリカ経済の復活の印と見る向きもあるだろう。だが、忘れてはならないのが、リーマン・ショックの原因となったサブプライムローンを裏づけとした証券にトリプルAの評価をつけていたのは、スタンダード・アンド・プアーズをはじめとする格付け会社だったということだ。

そのリーマン・ショック以降、一気にアメリカの金融界がバブル崩壊を起こしたのは、住宅相場の下落によってサブプライムローン債権を債券化した不動産担保証券が元本割れしていったからだ。

この大穴をふさぐためにとられた処置がFRBによるQEであり、ドルの過剰発行による量的緩和策で意図的に金余り状態をつくり、米国債の価値を支えることで、雪崩式に崩壊した債券相場を立て直している。

イメージとしては、ぽっかり空いた大穴にドボドボとドル紙幣を流し込み、米国債というセメントで応急処置を施しているようなものだ。だが、本当に穴をふさぐためには底が抜けた状態をどうにかしなければいけない。

では、穴の底で何が起きているのか。

現在の景気回復を示す数字は見せかけにすぎない

アメリカ政府は当初、ローンを返済できなくなった人の自宅を競売にかけず、ローンの返済を継続させ、銀行に生じた損失を政府補助金で埋めるという政策を展開した。だが、サブプライムローンを組んで返済不能になったローン債務者の多くはもともと低所得だったので、リーマン・ショック後の不況で収入がさらに減少。返済を再開できなかった。

そこで、債務者に返済を再開させる代わりにFRBのQEを拡大。金融機関が債務者から没収した滞納物件を買い取る住宅投資基金をつくり、金融業界が物件を賃貸化して塩漬け、償却する方向に舵を切った。

こうすることで不動産物件の流動性が保たれ、表面的な住宅価格の下落にも歯止めがかかる。その結果、金融業界が抱えている不動産担保債券の破綻も先送りされるわけだ。

しかも、FRBは米国債を毎月450億ドル、そして住宅ローン担保証券を400億ドル分、量的緩和策の一環として金融業界から買い取ることで、銀行や証券会社を救済。FRBは毎月850億ドル、円換算で8兆7500億円分のドルをばらまいている。

そのおかげでアメリカの住宅市況は改善しているよう見え（事実、それだけの額を動かして活況にならない方がおかしい）、株価も上昇。アメリカは景気回復の真っただ中にあるように見えるだろう。

しかし、QE3の本当の意味を知った今、皆さんもこれが抜け出しにくいチキンレースであることがわかるはずだ。なぜなら、QEが続けば続くほどFRBは腐った債権を溜め込んでいくことになるからだ。再び住宅バブルが過熱し崩壊したら、今度はいったい誰が不良債権を買い支えるのだろうか。

そう考えると、FRBは状況をギリギリでコントロールするためにもQE3をやめるわけにはいかないのだ。やめた途端、景気回復の薄化粧は剥がれ落ち、株価は急落していき、いよいよ本当の意味でのアメリカ経済の崩壊が起きる。

アベノミクスは闇の権力者たちの要請

そうなった時には、もちろん日本も大きなダメージを被ることになる。2013年、日経平均は1万6000円を突破したが、そのカラクリはアメリカの株高となんら変わらない。アベノミクスによる量的緩和策はFRBのQE3をサポートしているにすぎず、日本経済立て直しのための政策ではない。アメリカの実体経済に開いた大穴を埋めるのに、ドル紙幣の放り込みだけでは足りなくなったから、闇の権力者たちは「円を出せ」「ユーロを出せ」と各国の中央銀行に量的緩和策を取らせているのだ。

量的緩和策をある程度続けて、実体経済が好転し始めたところで引き締めに転じるというのが本来の中央銀行の手法だ。だが、アメリカは見せかけの景気回復こそ果たしたが、実体経済は低く沈み込んだままの状態にある。ここで、FRBがQE3をやめたとしたら、マネーの過剰流動によってごまかされてきた問題が再び顔を出し、世界経済にリーマン・ショックとは比にならないショックがやってくるだろう。

もし、あなたが個人投資家として株式市場や債券市場に参加しているなら、QE3に関するニュースは細かくチェックした方がいい。2013年、FRBは「QE3の縮小を開始する目安は失業率の推移にある」としてきた。そして2013年9月に縮小が論議されたのは、失業率の数値が改善したと見られたからだ。

たしかに大手メディアが伝えるアメリカの失業率をチェックすると、2010年の9・63％に対して、2012年は8・23％、2013年は7％と改善傾向にある。

労働省が6日に発表した11月の雇用統計は、非農業部門雇用者数が前月から20万3000人増加し、エコノミスト予想の18万3000人増を上回った。また失業率も7・0%に低下し、2008年11月以来5年ぶりの低水準となった。
今回は幅広い業種で雇用の増加が見られ、小売や飲食など一般に低賃金とされる業種だけでなく、高賃金の職種でも雇用が大幅に伸びた。例えば、専門職は3万5000人増だった。（後略）
（2013年12月7日 CNN）

本当の失業率は公式発表の倍以上

日本のニュースでもアメリカの失業率が7%台となり回復していると報じている。こうした報道のソースとなっているのは政府の公式発表であり、アメリカの雇用情勢は緩やかではあるものの本当に回復しているのかと思われるかもしれない。

だが、本当の失業率は改善していない。なぜなら、基準となる数値にトリックがあるからだ。実際には、1年以上仕事が見つからない人が増えており、当局はそういった無職の人々を統計から外すよう推奨している。そのカラクリについては、これまでも指摘してきた通りだが、簡単に紹介しておこう。

そもそもアメリカでは、失業者の深刻度や労働力の有効活用という観点からの6つの指標が公表されていた。

このうち、政府の公式発表で出される失業率は完全失業者を労働力人口で割った「U3」の数字だ。ここには求職活動をやめた者、あるいはパートなどの非正規雇用で働く人の数は含まれておらず、実態を反映していないのだ。

長く仕事が見つからず、働く意欲をなくしてしまった人（縁辺労働者）、食いつなぐために短期の非正規雇用で働いている人（経済情勢のためにパートタイムで就業している人）などが、意図的に統計上から排除されている。

こうした人々を加えた本当の失業率は「U6（完全失業者＋縁辺労働者＋経済情勢のためにパートタイムで就業している者／労働力人口＋縁辺労働者）」となるが、こちらに着目すると、州によっては政府発表のU3の3倍近い数字のまま。全米という基準で見た場合、15〜20％の間で推移している。

政府統計とは別に、アメリカの労働者がどのような環境にあるかを分析した民間団体によると、現在1100万人以上の人が正式に失業状態（U3）となっていて、それ以外に9100万人の人々が長らく職を持っていない。彼らは政府統計にはカウントされておらず、このふたつの数字を合わせると1億2000万人以上が仕事を持っていないことになる。アメリカの人口は3億1159万人。ここから老人と子どもたちを抜いた場合、果たしてどれだけの人が、仕事を求めながら職のない状態に甘んじているのだろうか。

それでもアメリカの大手メディアは政府発表の数字に頼って、失業率は改善されたという見出しを躍らせ、株価は上昇を続けている。だが、統計からはじかれる「労働力に数えられていない人」の数は、2013年10月だけで93万2000人増加した。つまり、オバマ政権は1カ月ごとに100万人近い人を労働者として見なさないようにしている。労働力ではないのだから、失業者ではないというロジックだ。

この数字を裏づけるように当局が発表する統計上の失業率は下がっているが、毎月新たに失業する人の数は2013年7~9月期で前年同期比25%増となっており、実質的な失業者数は急増している。

もし失業者が減っているのなら総人口に占める就労者数が増えるはずだが、その比率はリーマン・ショック前の2007年前半の63・3%から2010年初頭に58・5%まで落ち、今も58・5%。失業者が減っているのは雇用者が増えたからでなく、職探しをあきらめて失業者の範疇から外れた人が多いからだ。

そのほか、インフレの指標で測定対象の商品を入れ替えるなど、統計の前提条件を変えることで都合のいい数字を出している例もある。

このようにアメリカの経済統計には、状況の悪さを隠すための露骨なトリックが用いられるようになってきているのだ。

デトロイトに象徴される生活インフラの崩壊

また、アメリカの失業者の中で1年以上失業している人の割合は2007年末で17・4％だったが、今では40％を超えている。そしてフルタイムの職が580万人分減った一方で、パートタイムの職が280万人分増加。労働人口に占めるパートの割合は16・9％から19・2％に上がった。

政府統計上、就業者数が増えているように見える大きな要因は、企業がフルタイムの従業員を解雇し、給料がより安いパートを雇ったことにある。しかし、パートタイム労働者の半数以上が4人家族で年収2万3314ドル（約230万円）という、国の定める貧困ライン以下で暮らしている。

仮に仕事が得られたとしても食っていけないという現実があるのだ。しかも政府の財政難の中、公立学校の教師などを中心に2009年以来、74万人もの公務員を削減している。

こうした行政部門でのリストラは、アメリカを住みにくい国に変えている。

例えば、ミシガン州デトロイト市のデトロイト・タイガースの本拠地コメリカ・パークでは、メジャーリーグの試合前に「注意！　デトロイトには自己責任でお入りください」というチラシが配られた。書かれていたトピックは以下の通りだ。

・デトロイトは全米一暴力的な町です。
・デトロイトは全米一殺人件数の多い町です。
・デトロイト市警は人手不足です。
・人手不足のため12時間シフトで働かされ、警官は疲労困憊しています。
・デトロイト市警の賃金は全米最低ですが、市はさらに1割カットしようとしています。

配布していたのは、なんと現役のデトロイト市警の警官たちだ。

デトロイトでは、2000年から2010年の間に住民の4分の1が郊外や州外に逃げ出している。ところが財政破綻による「歳出削減」で犯罪率が増えているにもかかわらず、市は公共部門の切り捨てを推進。学校や消防署、警察などのサービスが次々に凍結されている。

デトロイト市が発表している統計データを見ていくと、市内に住む子どもの60％が貧困生活を送っており、市民の約50％が読み書きもできず、市内の住宅の33％が廃墟か空き部屋となって放置されており、市民の失業率（U3）は18%。そしてスタジアムでビラを配り、疲労困憊の窮状を訴えていた警察官たちが通報を受けて現場に到着する平均時間は58分となっている。

これで安心して暮らせるレベルの治安維持が可能かと聞かれれば、誰もが不安を感じるだろう。しかも、これはデトロイト市に限った話ではなく、アメリカ全土に広がっている。その一方で、ダウ工業株30種平均が過去最高の値を記録していることを考えると、歪んだ内実を感じずにはいられない。

そのほか、日々のニュースを細かくチェックしていくだけで、いくつもの事例が目に入る。その中から一例を挙げれば、アメリカの郵政公社（USPS）の倒産も間近だと言われている。2013年2月の時点で、ロイターはこんなニュースを伝えていた。

米郵政公社（USPS）は6日、8月までに土曜日の第一種郵便（普通郵便）の配達を打ち切るとの計画を明らかにした。昨年度に約160億ドルの損失を計上したことを受け、コスト削減の一環としての措置という。

USPSによると、サービス停止により年間20億ドル程度のコストが削減できる。小包配達は継続し、営業時間も変更なしという。

ＵＳＰＳは、将来の退職者向けの医療関連手当てが財政を圧迫、さらに、電子メール普及によるサービス利用減もあって、ここ数年は毎年多額の損失を計上している。ドナヒュー総裁は声明で「ＵＳＰＳは、小包配達の需要増と、米国における郵便利用傾向の変化に伴う財務上の現実に対応するため、配達に対して重要かつ新たなアプローチを進めていく」と述べた。

ＵＳＰＳは昨年、法律で定められた借り入れ上限を突破。必要な連邦政府への支払いが2度、不履行となっている。（2013年2月7日　ロイター）

今、アメリカでは土曜日に郵便が届くことはない。しかも、春先から年末にかけて状況はさらに悪化しており、ＵＳＰＳ総裁のジョン・Ｅ・ポッターは連邦議会で「２０２０年までに郵政公社の累積赤字は２３８０億ドル（約24兆円）に達する」と証言。退職者への年金支払いは止まっており、事業そのものの存続も危ぶまれる状態だ。仮にＵＳＰＳが破綻となれば、大量の失業者が生まれる。

だが、半年もすれば統計上のマジックによって、数値は修正されていくことだろう。

米国債が無価値であることが次第に明らかになる

住宅市況も失業率も実質的な回復とはほど遠いなかで続いているＱＥ３。これが途切れればアメリカ経済に大穴が開き、アベノミクスも吹き飛ばしてしまうだろう。つまり、一度リセットする覚悟がなければ、量的緩和策を完全にやめることなどできないわけだ。

とはいえ、どれだけバーチャルな金融システムが発達しようと、貨幣経済は誰もが「価値がある」と信頼していなければ成り立たない。

その点で言うと、アメリカとそこに巣食う闇の権力者たちがつくり出したドルと石油とＦＲＢを駆使した錬金術は限界にきている。

ＦＲＢの会計勘定（バランスシート）はリーマン・ショックの時点で２兆ドルだったが、ＱＥ１、２、３によって不動産債券や米国債が急増し、今ではほぼ倍の約４兆ドルにふくらんでいる。

米連邦準備理事会（ＦＲＢ）が発表したデータによると、12月11日時点のＦＲＢのバランスシート（金、ＳＤＲ、貨幣等の現金の保有分を除く）の規模は３兆９５

10億ドルで、前週の3兆8900億ドルから増加した。

財務省証券（米国債）の保有額は2兆1860億ドル。前週の2兆1700億ドルから増加した。政府機関債（エージェンシー債）の保有額は572億2100万ドルと、前週の583億7200万ドルから減少。

政府機関発行モーゲージ債（エージェンシーMBS）の保有額は1兆4830億ドルで、前週の1兆4400億ドルから増加した。（2013年12月12日　ロイター）

バランスシートを調整しようとFRBが債券を売却すると、債券相場が崩壊してリーマン・ショックを超える世界金融危機を引き起こすので売ることはできない。

かつては、金融危機の時にFRBが買い手となって債券市場を支えていた。それによってバランスシートが膨らんでも、その後の回復局面で再び民間の投資家が債券市場に戻ることで相場は上昇。数年かけて高値になったところでFRBは危機時に買い入れたものを売り抜け、儲けを出していた。

QEという「麻薬」をやめることはできない

だが、現在では状況が異なる。リーマン・ショックから5年がすぎても、債券の主な買い手は相変わらずFRBだけだ。結果、あふれたマネーはダウ工業株30種平均、日経平均などの主要株価を押し上げているが、大きくバランスを崩しているFRBに価値があると誰もが信じているような状態が、いったいいつまで続くのか。

FRBはQEの縮小を匂わせているが、保有している米国債を満期まで手放さない方針も表明している。保有する米国債は7年満期、10年満期の中長期国債が中心なので、結局のところ、QE3が縮小されたとしてもQE4、QE5ないしは別の名前の別の手法に姿を変えながら、今後も継続されるだろう。

事実、2014年1月末にFRBの議長はバーナンキからジャネット・イエレンに交代する。各メディアに意見を寄せる識者たちは、イエレン次期議長がQEの縮小を始めるのではないかと分析していた。だが、バーナンキからイエレンへの議長交代が公表された直後、FRBはQE縮小の建前上の条件であった失業率に関して、「6・5%まで下がったら」としていたものを、「『5・5%』への引き下げを検討する」と発表している。

要約してしまえば、QEそのものをやめる気などないのだ。

ここで別の大陸、ユーロ危機のその後について見てみよう。ギリシャ危機に端を発したユーロ危機は、現在、小康状態に入ったように見える。ECB（欧州中央銀行）はFRB

と申し合わせてじゃぶじゃぶと量的緩和策を続け、今では想像を絶する額となっている。もし資金注入が有効であるなら、「ユーロ危機」はとっくに終わっているはずだ。しかし危機は収束に向かうどころか、ギリシャに続いてスペイン、イタリア、フランスなどが国家破産に陥るのも時間の問題となっている。

闇の権力者たちのまやかしの発表に意味はなく、現実は何も変わっていない。この30年間、ヨーロッパは全体的に対外赤字を慢性化させてきただけだ。

例外はドイツであり、実物経済に裏打ちされた黒字国は、闇の権力者たちによって新たなユーロの核として利用される。

そうした流れのなかで、新たな動きもあった。ドイツ、北欧諸国、ロシアといった欧州の北部の国々が実物経済を裏づけにした新たなユーロ圏をつくり、ギリシャを含む地中海諸国が新しい通貨を発表。新ユーロに対して、通貨を切り下げて危機を切り抜けていくという合理的なものだ。

しかし、それではアメリカへのマネーの還流が断たれてしまうため、この案は立ち消えとなり、結局はユーロ圏全体が沈没。内部で自然と格下げが起き、ユーロそのものの価値が下がった。

そして、日本では報道されないが、市民の不満を反映したデモや破壊行動は今も続いている。イタリアを中心にした南ヨーロッパの混乱は、むしろこれから拍車がかかるだろう。国民の生活水準を下げてなんとか急場をしのいだものの、実物通商は回復せず、失業率も高いまま。トラブルはこれから2、3年は続くと見ていいだろう。

なかでも新たな懸念材料は、フランスだ。

ユーロ危機の新たな震源地はフランス

ほかの地中海諸国と同じく、フランスは慢性的な財政赤字に悩まされている。整いすぎた社会福祉が、このヨーロッパの大国にとって大きな負担になっている。

労働大臣がメディアに対して「フランスは倒産している」と発言し、国民の83％が「そのとおりだ」と答えるという、何とも皮肉な状況だ。国債の格付けは下がり、ＧＤＰの58％が国の借金の支払いにあてられる。

対外赤字も積み上がり、何らかの大胆な施策が必要となるなか、２０１２年に就任したフランソワ・オランド大統領は、財政を立て直そうと大胆な富裕層の所得税増税に踏み切った。しかし、これが富裕層を中心に世論を動かすエリート層の反発を招き、支持率は急降下。苦しい立場に立たされている。

17年ぶりの社会党政権として昨年5月に発足したオランド政権は、富裕層から低所得者への所得再配分を掲げる。2013年からは2年間の時限措置で年収100万ユーロ（約1億1500万円）を超える個人の所得税率を、現行の約40％から一気に75％に引き上げる案を示した。

税負担の大幅増を嫌った富裕層は外国籍の取得に動き始めた。昨年9月にはモエヘネシー・ルイ・ヴィトン（LVMH）のベルナール・アルノー最高経営責任者（CEO）がベルギー国籍を申請。有名俳優のジェラール・ドパルデュー氏は12月に「仏政府は成功を収めた人や、才能がある人を罰しようとしている」と批判するコメントを発表。今月6日にはロシア南部ソチを訪れ、プーチン大統領からロシア国籍を示すパスポートを直接受け取った。

企業経営者や富裕層の多くが脱出先に選ぶのが隣国ベルギー。2012年中にベルギー国籍を申請したフランス人は126人と、前年から倍増した。ヒトやモノの自由な移動が認められる欧州では、日本に比べて外国籍取得に抵抗が少ない。

ベルギーは税制で富裕層が優遇されており、「資産家の逃避が本格化している」（仏紙ル・モンド）。ロシアでも富裕層の所得税率は10％台と低い。

（2013年1月9日　日本経済新聞）

フランスの危機が表面化するのは2014年半ば以降になる。第1章でも見てきた通り、ヨーロッパの覇権を握っているのはドイツとロシアだ。ドイツの言うことを聞かなければ資金が融通できず、ロシアの言うことを聞かなければエネルギーが不足する。ドイツとロシアが接近している今、ヨーロッパをドイツ、ロシアから守るために結成されたNATOは死に体であり、フランスの政治力は地に落ちていると言っていい。

さらに広がり続けるアメリカ国内の所得格差

米欧の状況を見比べていくと、ヨーロッパが小康状態を保っている間に、ドルと石油とFRBを駆使した錬金術が崩壊する可能性が高い。その時は既得権益をめぐる大きな争いが生じるはずだ。事実、闇の権力者たちは危機感を抱き、有事への準備を進めている。

その有事とは海外での戦争ではなく、アメリカ国内での戦いだ。火種となるのは、大きく開いている格差問題だろう。2011年にニューヨークで発生したオキュパイ・ウォールストリート（ウォール街を占拠せよ）運動は記憶に新しいが、アメリカの格差はこの数年でますます大きなものとなっている。

米国勢調査局の9月の報告書によれば、家計所得は5年連続で減少し、典型的な米国世帯は現在、実質ベースで1989年より所得が少ないという。同局は、家計所得の中央値は2012年に5万1100ドルから5万1017ドルに低下し、今では景気後退前の2007年のピークを8・3%下回っていると述べた。

それと同時に、上位1%が手にする富の割合は上昇した。カリフォルニア大学バークレー校のエマニュエル・サエズ教授の論文によると、2012年までの3年間で、上位1%の人の所得が31%増える一方、残りの人たちは0・4%しか増えなかったという。

「要約すれば、上位1%の所得は（金融危機後に）ほぼ完全に回復し、下位99%はほとんど回復し始めてもいない状況だ」と教授は言う。

（2013年11月21日　ファイナンシャル・タイムズ）

2012年、アメリカでは上位10%の世帯の所得が、国民の総世帯所得の50・4%を占めた。これは1917年以降で最大の割合であり、上位1%が総世帯所得に占める割合も過去最大の19・3％だった。

アメリカ人の生活水準はリーマン・ショックを機に下がり始めたのではなく、1960年以降ずっと下がり続けている。もらった給料で何が買えるかという購買力平価で計算をすると、富裕層を除くすべての層で購買力は下がっているのだ。

バーナンキはQEの意義について、金利をゼロにして市場に豊富な資金を供給し、金融相場が上昇すると投資家の富が増え、消費も増し、実体経済も改善されると語ってきた。しかし、実際には投資家が儲かっても貧富格差は拡大するばかり。庶民は消費を増やすどころか、収入減と失業増で飢餓にさいなまれている。

もはや毎年の恒例行事のような発表になっているが、アメリカで貧困救済策のフードスタンプ（SNAP）に頼る人は過去最高となっており、リーマン・ショック直後の3000万人から5000万人に膨れ上がっている。

闇の支配者たちは、自分たちの家族も含まれる人口のトップ1％の幸せを守っていれば全米の金融資産の6割を押さえることができ、10％の富裕層を手なずけていれば、その9割を支配下に置くことができる。

誰が金を持ち、誰が力を持ち、誰が既得権益を握っているかは明らかだだろう。

アメリカで内戦が起こるという複数のシグナル

だが、人間の歴史を振り返った時、開き過ぎた貧富の差は革命の引き金になる。それはデモや座り込みや選挙といった平和的な手法でなされるのではなく、武力によって達成されてきた。

そこで、注目すべき動きがある。それは２０１２年以降、アメリカ国土安全保障省（ＤＨＳ）が国内で使用するために16億発の弾薬と７０００丁の重火器を購入し、２７００台の装甲車を導入したことだ。これは海外での戦闘のためではなく、アメリカ国内の治安維持のために配備された。つまり、ＤＨＳは銃社会アメリカで大規模な異変が起こることを想定しているのだ。

また、最近では司法省が作成した「ホワイトペーパー（正式でない報告書）」が問題となっている。そこにはアメリカ政府に差し迫った危機が存在していると高官が認定した場合、テロリストがアメリカ人であっても無人機で殺害できるという見解が書かれていた。

基本的にアメリカ人の場合は国内法が適用されるため、暗殺することはもちろん、身柄の拘束なども一定の要件を満たす必要があった。だが今回の司法省の見解によれば、必要ならば基本的人権を無視してもいいということになる。

すでに無人攻撃機を含む無人機の国内配備は済んでいるだけに、このホワイトペーパーをめぐる議論は今後、大きくなっていくだろう。

一方、一般市民もまた、かつてないほどの勢いで銃を購入している。アメリカの弾薬製造業者は1週間に10億発以上の弾薬を製造。それでも銃砲店では弾薬が飛ぶように売れており、納品が遅れている状態だという。

なぜこのような動きになってしまうのか。それは地域の誰もが銃を持っている社会を想像すると理解しやすい。オバマが銃規制を口にした時、多くの日本人は「なぜ、銃規制に反対する勢力がいるのか？」と思ったはずだ。

だが、すでに銃が行き渡っている社会で政府が銃の所持を規制すれば、もっとも不利益を被るのは法律を守る善良な市民なのだ。なぜなら、良き隣人である彼らは国の求めに応じて銃を廃棄するだろう。

ところが、法を無視する人たちは銃を保持し続ける。そして、良き隣人の武装が解かれたことを知り、財産を奪おうとするかもしれない。その時、善良な市民は自らの身を守る術がないことになる。銃規制に反対しているのは、必ずしも保守勢力や銃産業に関わる人間ばかりではないということだ。

だから、銃規制への反対意見は途切れない。そして、このことは政府が国内に向けて軍備を増強している時にも当てはまる。連邦政府が何かを企んでいるのならば、自分たちの身は自分たちで守るしかない。これが決して少数派とくくることのできない一般アメリカ市民の感覚だ。

ＤＨＳが大規模な国内での混乱を予測しているのは、貧富の差が暴動を引き起こすと考えているからだ。アメリカ国内には武装した貧困層だけでなく、２００９年からミリシアと呼ばれる白人の民兵組織や過激な右翼組織の結成も急増している。

２０００年から２００８年までは１３０～１７０団体程度だったものが、２００９年に５１２団体、２０１０年は８２４団体、２０１１年は１２７４団体と爆発的に増加。本格的な軍事訓練を行っている組織も多く、ＤＨＳ前議長のジャネット・ナポリターノは、アメリカにとっての本当の脅威は、退役軍人と銃砲所持者だと語っていた。

こうした点を考えると、ＮＳＡが自国民への盗聴・盗撮を強化していたことも、ＦＢＩなどが国内に無人機を配備していることも、ＤＨＳが治安維持と呼ぶには重装備すぎる兵器を揃えているのにも、一定の納得がいく。

なんらかの理由でＱＥ３縮小どころかその継続が難しくなった時、アメリカ発の新たな金融危機が発生する。この経済的崩壊の中で生じる混乱と暴動から自分たちを守るため、闇の権力者たちは「対テロ戦争」と称しながら、自国民を制圧する準備を進めているのだ。

闇の権力者という名のエリートサークル

ちなみに、これまでも本書にたびたび登場してきた闇の権力者とは、一定の枠内にいるエリートたちのことだ。

詳しくは前著『日本に仕掛けられた最後のバブル』(青春出版社刊)などを参照してもらいたいが、例えば、現在の金融システムの頂点にあるFRBとECBは、設立当初からずっと闇の権力者たちの完全な影響下に置かれている。

彼らはヨーロッパの王侯貴族や第一次世界大戦、第二次世界大戦を通じて権力と財力を手に入れた金融資本家たちだ。現代において欧米の闇権力を握る人物は、エリート教育を受け、洗脳され、選抜された人々だ。彼らは秘密結社、この言葉が強烈すぎるならエリートサークルをつくり、青年期に結束を固める。

その代表例のひとつが、スカル・アンド・ボーンズだ。

このエリートサークルは、1832年にコネティカット州ニューへイブンにあるイェール大学の中で設立された。設立者はコネティカット州の大地主であったウィルアム・ハンチントン・ラッセルと従兄弟のサミュエル・ラッセル。

彼らはラッセル・アンド・カンパニーという会社を作り、トルコで仕入れたアヘンを中国経由で密輸。アメリカ初の麻薬ビジネスで大きな財をなした人物だ。しかも、ふたりはスカル・アンド・ボーンズを設立した同時期にアメリカで最初の情報機関であるカルパー・リングも創設している。

設立時から麻薬ビジネスとスパイ機関とのつながりが色濃かったこの秘密結社には、20世紀に入るとブッシュ家、ロックフェラー家、タフト家、ホイットニー家、ハリマン家、フィルズベリー家、ケロッグ家、グッドイヤー家、パーキンズ家、ウェイヤーハウザー家などといった名門と金持ちたちがメンバーとして名を連ねていく。

世界にはこうしたエリートサークルがいくつもあり、彼らはその財力を財団という形にすることで徴税を逃れ、自分たちの影響下で仕事をする政治家、アナリスト、研究者、技術者などを育ててきた。表の顔は裕福な「あしながおじさん」であり、チャリティーにも熱心な慈善家だが、実際は自分たちに有利な集金システムを維持するための活動だ。

私は彼らを広義の「サバタイ派マフィア」と呼んでいるが、現在デフォルトの危機に瀕しているのは、アメリカ政府を背後から操っていた悪質極まりないマフィアたちなのだ。

第5章

日米同盟にすがる日本は生き残れるのか

第4章
「日米同盟にすがる日本」を読み解くポイント

中国が発表した「防空識別圏」とは？

中国は突如、尖閣諸島を含む東シナ海の空域を「防空識別圏」とすると宣言した。これは、この空域に入る航空機は進入前に中国へ事前通告する必要があるという決定で、安倍政権は強く非難している。しかし、アメリカの態度は定まらず、波紋が広がっている。

米国債の買い支えを中止すると脅す中国

防空識別圏発表の数日前、中国人民銀行の副総裁が外貨準備高を増やさないと表明。中国はドルも米国債もこれ以上買い増さないと通告することで、アメリカの動きを封じていた。これは、借金の自転車操業に陥っているドル石油体制を守りたい勢力にとって大きな打撃となる。

安倍政権はなぜ、2％のインフレを目指すのか？

過去の歴史を振り返った時、政治家たちは経済的に行き詰まるとお金を刷るという手段で解決しようとしてきた。しかし、この手の政策が中長期的に一般市民にとっていい結果をもたらしたことはない。自国通貨の価値を下げることは、結局、不健全なインフレを引き起こす結果になるだろう。

TPPを後押しするロビイスト集団

「全国貿易協議会（NFTC）」という財界団体・同業組合がTPPを強力に推進させている。NFTCの会員社数は300を超えており、ワシントンD.C.とニューヨークにオフィスを構えている。会員企業に有利な法律を政府につくらせ、グローバルスタンダードを推し進めるロビイスト活動を続けているという。

予想外だった「防空識別圏」に対するアメリカの反応

日中間の緊張が高まっている。

２０１３年11月23日、中国は日本とアメリカの態度を確かめるかのように、尖閣諸島を含む東シナ海の空域を「防空識別圏」とすると宣言した。これは、この空域に入る航空機は進入前に中国へ事前通告する必要があるという身勝手な決定だ。

安倍政権は強く抗議し、オバマ政権も中国を批判しつつ、尖閣諸島が日本の実効支配下にあり、日米安保条約の対象地であると表明。そして、その２日後の11月25日には、アメリカ空軍機が事前通告なしに、中国が設定した識別圏を飛行した。

これに対して中国の新華社通信は中国空軍がスクランブル発進したと伝えた。

中国空軍は29日、中国が東シナ海上空に設定した防空識別圏に米軍機と自衛隊機を確認したため、主力戦闘機が同日午前、緊急発進（スクランブル）したと発表した。新華社通信が伝えた。

事実ならば、中国国防省が23日に沖縄県・尖閣諸島上空を含む空域に防空識別圏を設定して以降、初のスクランブルとなる。
しかし、中国は日米機の具体的な飛行空域や時間帯などの詳細を一切明らかにしておらず、米当局もスクランブルの事実は未確認で、中国側の発表は、国内向けに防空識別圏を有効に監視していることをアピールする狙いもあるとみられる。(後略)
(2013年11月30日　東京新聞)

これは中国国内向けのアピールにすぎず、実際には中国空軍によるスクランブルはなかった。こうした経緯からこの一件は尖閣諸島をめぐって日米同盟の絆の強さ、アメリカ軍の本気度を見たと評価されている。

ところが、その一方で、アメリカ国務省は11月29日、「アメリカの民間航空会社が、中国の防空識別圏の設定に従うことを望む」という趣旨の発表も行っている。その発表において、アメリカは尖閣を含む識別圏を設定したことは問題だと指摘しつつも、自国の民間航空機が中国の設定した防空識別圏を守り、進入前に飛行計画を提出するよう求めた。

軍用機で防空識別圏の設定に対して威嚇的な飛行をしながら、自国の民間航空機に対しては中国の顔色をうかがうように指示を出すというダブルスタンダード。

ここからは、ドル箱路線である米中間のフライトを維持するよう求めるアメリカ系航空会社のロビー活動の影響だけでなく、米国債を買い支える中国への配慮が透けて見える。

かつての強いアメリカであれば断固とした姿勢を見せただろうが、オバマ政権はシリアの空爆問題などと同じく、ここでも世界に対して弱腰を見せてしまった。これには日本政府も裏切られた形だ。

安倍政権は全日空や日本航空に対して識別圏を無視するよう指示し、リスクをとらせたにもかかわらず、日米同盟で日本を守るはずのアメリカが数日後に自国の航空会社に識別圏遵守を求めた。中国に対する一致した行動が取れていないことを内外に露呈している。

中国はアメリカの対応を注意深く観察している

中国による日米同盟への揺さぶりは、ここ数年、何度となく繰り返されてきた。まずは直近の事例をいくつか紹介しよう。強気の中国とどこか腰の引けたアメリカ。その狭間で揺れる日本という関係性だ。

防衛省統合幕僚監部は24日、中国軍の早期警戒機1機が同日午前から午後にかけて、沖縄本島と宮古島の間を通過したと発表した。中国は日本列島から沖縄、台湾、フィリピンをつなぐ防衛ラインを「第1列島線」と位置付けている。中国軍の艦船がこの線を越えたことがあるが、航空機の通過を確認したのは初めて。防衛省は中国の活動拡大の一環とみて、警戒監視を強めている。（後略）

（2013年7月24日　日本経済新聞）

第1列島線とは、中国海軍と中国空軍が対米有事を想定し、主にアメリカ海軍の原子力潜水艦の侵入を防ぐ対米国防ラインだ。中国はこの海域を海洋領土と称しているが、区域内には南沙諸島問題、尖閣諸島問題、東シナ海ガス田問題など、いくつもの領土問題が横たわっている。

拡大路線を志向する中国は、第1列島線を越えた海域、空域に海軍、空軍を出した時、アメリカがどう対応するのか観察しているのだ。同時に米中交渉の席でもジャブを繰り出している。

中国軍の王冠中副総参謀長は9日に北京で開いた米国との次官級の国防協議で、沖縄県の尖閣諸島をめぐる問題や南シナ海問題について「米中間の問題にすべきでなく、米国がこれらの問題の第3の関係者になることを望まない」と強調し、米国の介入をけん制した。中国国防省が13日、協議内容を発表した。

協議には米国からはミラー国防次官が出席。ミラー氏が尖閣問題を巡って「威嚇や武力行使に反対する」と述べ、尖閣諸島周辺での中国側の活動を控えるよう促したのに対し、王氏は「誤ったシグナルを送るべきではない」と反発した。

（2013年9月13日　日本経済新聞）

安倍首相とは1時間半、習近平主席とは5時間

アメリカが日中間の問題に対して一定の距離をとっていると見た中国は、さらに探りを入れるかのように、今度は無人機で尖閣諸島の上空を領空侵犯。無人機の保有とその性能をアピールしつつ、日本政府にプレッシャーをかけてきた。

国籍不明の無人機が領空侵犯した際の対処方針策定を日本政府が進めていることを受け、中国軍のシンクタンク、軍事科学院の杜文竜研究員（大佐）は「日本が中国軍の無人機を撃墜すれば戦闘行動とみなす」との見解を示した。共産党機関紙、人民日報のウェブサイト「人民網」が24日伝えた。

24日付の中国人民解放軍系の新聞、中国国防報も「釣魚島（沖縄県・尖閣諸島の中国名）上空で中日の駆け引き激化」と題する記事を1面に掲載。中国軍の無人機を妨害すれば「自業自得の結果を招く」とけん制した。

（2013年9月24日　日本経済新聞）

中国はこうした一連の流れのなかで、尖閣諸島を含む東シナ海の空域を防空識別圏と宣言したわけだ。日本を属国扱いする日米地位協定を受け入れ、米国債を買い支え、為替介入でアメリカの借金を肩代わりし、日米同盟を保持してきた日本政府としては、当然アメリカが強気に出てくれるものだと思っていただろう。

十分な用心棒代を払っているのだから、今こそお代に見合った活躍を見せてくれるはずだ、と。

防空識別圏の一方的な発表があった後、日中韓を歴訪したジョセフ・バイデン副大統領は、安倍首相との会談時には「中国による識別圏の設定が、東アジアの緊張を高める動きであるとして懸念」を表明し、日本と協調して中国に毅然とした対応を見せると話した。

ところが、東京で安倍首相との1時間半の会談後、北京を訪問したバイデン副大統領は習近平主席と5時間にわたって会談した。そこでは防空識別圏の話も出たようだが、記者会見ではその件に関しては沈黙。むしろ中国とアメリカの経済面での緊密さをアピールしていた。

結局、バイデンもオバマ政権のほかの閣僚も、一度として「アメリが防衛義務を持つ日本の領土上空に中国が設置した防空識別圏を容認できない」と明言してはいないのだ。

アメリカに中国を抑え込もうとする意図は一切ない

しかも、バイデンはどうやら東京で安倍首相に習近平主席と対話の場を持つよう勧めたようだ。直後の会見で安倍首相は防空識別圏を撤回させるという持論を引っ込め、「中国の力による一方的な現状変更の試みを黙認しない」と発言。しかも、習近平との直接会談を呼びかけている。

なぜ、バイデンは安倍首相に歩み寄るよう指示したのか。その理由は、中国が防空識別圏を設定する数日前のニュースを見るとハッキリする。

中国人民銀行（中央銀行）の易綱・副総裁は20日、外貨準備高をこれ以上増やすことにはメリットがなく、適正な水準で維持する考えを示した。中国の外貨準備は世界最大規模となっている。
中国国家外為管理局（SAFE）の局長でもある易副総裁は「外貨準備を増やし続ければ、保有による利益より損失の方が大きくなると現時点では考えている」と指摘。「外貨準備が増加し続けるのは、もはや費用効率が高いとはいえない」と述べた。
中銀のデータによると、中国の第3四半期の外貨準備は1600億ドル増加し、史上最高額の3兆6600億ドルとなった。（後略）
（2013年11月21日　ロイター）

要約すると、中国人民銀行の副総裁が外貨準備高を増やさないと表明した。中国はドルも米国債もこれ以上買い増さないと通告したのだ。これはドル石油体制を守りたい勢力にとって大きな打撃となる。つまり、最初からアメリカには日本のために中国を抑え込むような意図はなく、中国と事を構える気もなかったのだ。
それよりも穏便に話をまとめ、中国からの借金を続けたい。それがバイデンの日中韓歴訪の目的だったと見て間違いないだろう。

尖閣諸島問題も意図的に〝火つけ〟された

だが、そもそも尖閣諸島問題は闇の権力者たちが仕掛けたという疑惑もある。この騒動の始まりとなった、中国国旗を持った活動家たちによる尖閣諸島への強行上陸事件を覚えているだろうか。

２０１２年8月15日、終戦記念日に合わせて、「香港保釣行動委員会」のメンバーら7人が尖閣諸島に対する中華圏の領有権を主張する目的で強行上陸。逮捕されたメンバーらは中国へ強制送還された。

７人のうちの１人、古思堯は香港では名の知られた活動家で、以前には中国政府への抗議行動として中国国旗を燃やして逮捕されたこともある人物。つまり、義憤に駆られて尖閣諸島へ上陸し、中国国旗を掲げるタイプではない。じつは彼を含め、上陸メンバーはサバタイ派マフィアから資金援助を受けていた。

また、その後に発生した中国での反日デモではジョン・コーエンなる人物が参加者１人につき１２００人民元（約２万円）の報酬を支払うなど、日中関係の悪化を裏で後押しする勢力がいるのはたしかだ。

そして、彼らは日本側にも働きかけている。最近、小泉進次郎氏が局長を務める自民党青年局に属する国会議員数が急激に拡大。その人数は衆院選前の18名から82名となり、事実上の〝小泉派旗揚げ〟ともいえる様相を呈している。

その活動を支えているのは、イギリスの元財務商務大臣ジェームス・サスーン卿。サスーン財閥のトップで、三菱UFJフィナンシャル・グループのグローバルアドバイザーも務める人物だといわれている。

日本が進むべき道は中国との衝突ではない

これは旧英国帝国の常套手段だ。「地域をできるだけ細分化し、互いを敵対させる」という手法で、日中では尖閣問題、日韓では竹島問題、日露では北方領土問題をそれぞれ煽り、すでに分断されている朝鮮半島の南北間にも絶えず問題を起こしている。敵対する勢力をつくり、両方に武器を売るのは武器商人、軍産複合体の得意技だ。

彼らの狙いは、アジアが団結して欧米の支配から逃れるのを防ぐこと。アジアの両大国間に緊張状態をつくり、引き続き周辺国から資金を引き出そうとしているのだ。

アメリカ軍に巣食う軍産複合体軍は自分たちの存在を訴えるため、中国から日本を守ることをアピールし、さらなる予算の計上を求めている。それだけでなく、中国周辺国にも金を出すよう営業中だ。中国脅威論によって問題を抱えるベトナム、フィリピン、台湾、日本。日中間の緊張の高まりは、用心棒代を釣り上げるための戦略でもある。

そうであるなら、日本が取るべき道は中国との衝突ではなく、よき先達として導くことだ。ご存じの通り、日本は昔から中国の一部ではなく、何千年という長い歴史を持つ独立国家である。それが数十年前から欧米の支配下に入り、対米従属を強いられている。

しかし、アメリカが弱体化している今こそ、再び独立国になるべきなのだ。

日本だけでなく台湾、香港、シンガポールも同様なのだが、欧米の文化と長く接してきたアジアの国は西洋のいいところを取り込み、悪いところは捨てる技術を学んだ。日本が中国に対して取るべき戦略は、その知恵を教えること。政治的な独立は保ちつつ、双方の文化を交流させ、国際社会も納得する中国を育てるのが日本の仕事だ。軍事的衝突ではなく、ソフトパワーによる融合こそが進むべき道となる。

アベノミクスに忍び寄る悪性インフレの懸念

一方、経済面に目を移すと、日本は好循環の中にあるように見える。量的緩和策によってデフレからの脱却を目指すと始められたアベノミクスは、円安・株高を実現し、これまでのところは功を奏しているように感じられる。

しかし、これはFRBのQE3について述べた前章でも指摘したが、一度始めてしまった過剰な量的緩和策は経済を麻薬中毒にしてしまう。

アベノミクスには、よい面と悪い面がある。よい面は日本政府と日本銀行が国民のために本気を出せば、国債を買い、すべての借金を帳消しにできる可能性を示したことだ。

だが、問題はその手法を正しく使えていないことにある。詳しくは後述するが、今も日本銀行は闇の権力者たちの支配から逃れていないため、このままではアベノミクスは国民の富を流出させる、インフレへの片道キップとなるだろう。

たしかに、日経平均株価は1万5000円台を超え、さらに続伸していきそうな雰囲気をつくり出している。何兆円ものマネーを人工的に市場に送り込めば、一時的に心地よく感じて当然だろう。だが、結局この政策で恩恵を受けるのは富裕層と大企業だけだ。

アメリカの上位10%の層がリーマン・ショック後の経済成長の旨味の50%以上を奪っていったように、このままアベノミクスが進めば、1億2000万人の日本人の多くは生活水準を下げざるえなくなるだろう。

なぜそうなるのか。端的に言えば、円の価値が下がるからだ。

日本は資源から食品まで、多くのものを輸入に頼っている。当然、円が安くなれば生活必需品の値段は上がっていく。現に、原子力発電が止まってから日本は相場より高い石油、高い天然ガスを売りつけられ、ドル石油体制を動かす人々にたくさんの富を差し出している。ここにきて小泉純一郎元首相が脱原発派に鞍替えした理由がわかるだろう。

黒田日銀総裁は闇勢力の意向に沿った人物

そもそもアベノミクスが始まる以前、「デフレと円高は国内の輸出企業を痛めつけている」と言われていた。だから貿易赤字になるのだ、と。

しかし、どうだろう？　財務省が２０１３年12月18日に発表した11月の貿易統計によると、日本の貿易収支（輸出－輸入）は１兆２９２８億円の赤字で、貿易赤字は17カ月連続となっている。

製造業の復活という視点から見れば、貿易赤字は由々しき事態だ。日本人の雇用が減り、安い海外の労働力に仕事を奪われた分を国内の産業で補わなければ失業率は上昇する。だからこそアベノミクスの量的緩和で円安に導き、製造業に元気を取り戻すはずだった。しかし現実に上昇しているのは株価ばかりで、働く人の給料は増えず、失業率も横ばいだ。

ＱＥ同様、アベノミクスもマネーの奔流をつくり出しているだけで、アメリカで起きている中産階級の崩壊はすでに日本でも始まっている。もちろん、デフレがいいとは言わないが、日本は貿易収支が赤字でも、所得収支（技術、特許、投資）で稼ぐ国になってきている。日本のＧＤＰ５７０兆円のうち、輸出は67兆円、輸入が60兆円。円高の影響は７兆円にすぎないのだ。

日本経済が強く安全だという判断から日本にマネーが流入し、円高が引き起こされ、円の購買力が上がることは日本人が豊かになることにつながっていた。ところが、アベノミクスが始まってからというもの円は半年で３割ほども下落。日本企業は原材料の多くを海外から輸入しているだけに、ビジネスのコストも跳ね上がっている。

しかも、闇の権力者たちはこうした状況につけ込み、巧妙な罠を仕掛けてきた。その一例が国債の取り扱いに関してだ。

自民党の圧勝、安倍政権の成立、アベノミクスの始まり、そして黒田東彦日銀総裁による異次元の量的緩和策――。日銀が新規発行国債の７割を購入しているこの手法はまさにＦＲＢと同じであり、誰が日本を植民地にしているのかをはっきり表している。

日本から金を奪うため、アベノミクスは成功する

日本では家計の金融資産の半分以上が預金で、年金で生活している高齢者も多い。企業は雇用の維持を重要視するため、収益に占める給料の比率を低く抑えがちだ。そういう環境でインフレを発生させ、国民に投資をさせるために、「NISA」なる制度がスタートする。投資に縁のなかった人々の富を市場に乗せ、巻き上げようとしているわけだ。

マフィア的な海外勢、並びにその追従者たちは、日本から巨額の資金を強奪しようと機会をうかがっている。例えば、彼らとつながりの深い竹中平蔵元参議院議員は「日本で遊んでいるおカネの運用」が大事だと言い、こんなアイデアを提案している。

「つまりは、GPIF（年金積立金管理運用独立行政法人）です。この年金運用機関には、110兆円の資産があります。シンガポールやノルウェーは同じような性格の資金を30兆円運用していますが、30兆円の運用をするのに1000人のプロフェッショナルが携わっています。一方の日本は、110兆円を71人で運用しています。

運用していないも同然で、国債を無条件に買っているわけです。そこにぜひ風穴を開けたい」

一見、筋が通っているようだが、小泉純一郎と竹中平蔵が行った郵政民営化によって、日本の富はどれだけ流出したのか。マネーの濁流の中に、日本人がコツコツと働いて貯めてきた財産を投げ入れる必要などどこにもないのだ。静かに確実に使っていけばいい。

しかし、日本の政治を動かしている面々は、オバマ政権と同じサバタイ派マフィアの影響下にある。安倍政権が実行しようとしている消費税の引き上げ、法人税率引き下げの措置も、日本の一般市民のお金をさらに搾り取って海外勢に貢ぐためにほかならない。

自動的にアメリカに還流する日本の富

結局のところ、日本の経済の問題について考えていくと、表も裏も必ずアメリカとの関係に突き当たる。日本はアメリカを動かす闇の権力者たちによっていいように改造され、利用されてきた。

例えば、巨額の財政赤字や現在実施されつつある大増税の背後にも闇の権力者たちの硬軟織り交ぜた脅しがある。日本は世界一巨額の財政赤字を抱える一方で、経常収支は巨額の黒字であり、アメリカは財政赤字と経常収支の赤字の「双子の赤字」を抱えている。

「経常収支」とは、ある国がどのくらいモノやサービスを輸出し、どの程度輸入したかという差を表している。戦後、日本は輸出主導の経済を目標にしてきた。経常収支が黒字になっているのは経済運営が成功した証だ。

ところが、平成となって以降、私たちの暮らしぶりはどうだろう？ データ上の経済成長はあったものの、給料は上がっただろうか？ 税収は伸びただろうか？ 粛々と働いてきたにもかかわらず、財政赤字は今日も拡大している。

そんななか、今度は史上最大の大増税が実施されようとしている。

経済運営の目標は果たされてきたのに、国民に還元されるはずの富が残っていない。ここに根本的な矛盾がある。日本経済の根底に闇の権力者たちへと富を流出させる仕組みがあるのだ。それはかつての宗主国、植民地の関係に似ている。

当時、宗主国は必ずしも軍事力で植民地を支配したわけではなかった。むしろ、経済という武器を使って、植民地の人々がわからないうちに国民の富を奪っていった。そのやり口は巧妙なものだ。

同じように現代の日本は、輸出代金をドルで受け取り、外貨準備を積み上げ、米国債を購入する。円高を押しとどめるために短期国債発行してドルを買い、買ったドルで米国債を購入する。つまり、日本が黒字を出せば出すほど、アメリカに富が還流する仕組みになっているのだ。

日本銀行に隠されたタブーとは

そして、もうひとつの仕組みは日本銀行に隠されている。

日銀はドルを刷るＦＲＢと同様、日本銀行券を刷るという無からお金を作り出す権利を持つ。では、無から出現した日本銀行券を世の中にどう配分していくのか。その決定にかかわるのは誰なのか。日銀総裁でも首相でもない。

戦後から現在に至るまで、数人の裏方がお金の流れをコントロールしてきたのだ。

独自の取材ソースからその正体に迫ってきたが、表に出ている情報にも手がかりはある。そのひとつが日銀の株主構成だ。公の機関のように振る舞う日本銀行だが、ジャスダック市場に上場し、「８３０１」という証券コードを持つ、れっきとした民間銀行なのだ。

２００７年に日本銀行が公開した株主構成は、政府出資55％、個人39％、金融機関２・５％、公共団体等０・３％、証券会社０・１％、その他の法人２・６％。

日本の商法では、企業が発行する株式の３分の１超の33・４％を持つと、株主総会で重要事項の決議を単独で否決できる「拒否権」が手に入る。

そして日本銀行は、政府以外が45％の株式を持っている。なかでも39％を占める個人がいかなる人物なのかは、いっさい明らかになっていない。つまり、拒否権を持つ株主が誰なのかということの情報がほとんどなく、大手メディアは一度たりとも報じていない。そこで、私は日本銀行の元総裁を含め、複数の情報源に当たることでタブーを破った。

日本銀行の大口の株主であり、支配権を握っているのは、高齢ながら現在もロックフェラー家の当主であるデイビッド・ロックフェラーや、ロスチャイルド家の大物で東京在住のステファン・デ・ロスチャイルドなどだ。

政府が抱える債務の多くは国債などの形になっているが、この国債を保有し、政府にお金を貸している金融資本家たちがいる。そしてその背後には、彼ら日本銀行の株主たちの姿が浮かぶ。

つまり、彼らは日本銀行を通して日本のお金の流れをコントロールしながら、実質的に国債を保有することで政府に対して圧力を加えられる立場を確保しているわけだ。

国の借金を国民につけ回すことの愚

日本とアメリカはこれからどうしたらいいか。1938年から1973年までのカナダの事例を挙げたい。その間、マッケンジー・キング首相が22年間首相を務めていたが、彼は1938年にカナダ中央銀行を国有化した。

そして彼は政府紙幣を発行し始め、その結果何が起きたか。第二次世界大戦中、無借金で大量の軍備を整え、戦後には国民健康保険、大学の授業料を無料にした。政府紙幣により、政府がすべてを払っていたのだ。さらに、5大湖を大西洋につなげる運河の工事、世界最長の道路であるトランス・カナダ・ハイウェイなどを整備した。それも政府がつくったお金で賄い、借金ゼロ。国民から高い税を取る必要もなかった。

アメリカ国家憲法にはお金をつくる権利は政府にしかないと記されているが、FRBや日本銀行など、民間中央銀行のカラクリは、得体のしれないマフィアがお金を刷って、政府に貸しつけて利子をとっているわけだ。

今のQE3やアベノミクスは、その株主たちが一時的に利子をつけずにお金を発行しているが、それは紙幣を発行する権利を失わないための処置にすぎない。もし日本政府が日銀を国有化して政府紙幣をつくるようになれば、国の借金をチャラにすることができる。さらに、国民健康保険料も大学の授業料も無料にできる。消費税を上げる必要もなくなる。

政府紙幣の問題はつくりすぎるとインフレを招くことだが、有能な官僚体制であればうまくコントロールできる。実体経済の回復によって、国民の暮らしは豊かになる。これはカナダですでにやっていたことであり、事実だ。

アメリカの場合、少し事情が違う。アメリカも政府紙幣を検討しているが、本当に実行に移した場合はドルをやめる必要がある。アメリカは対外赤字国なので、購買力が一気に下がってしまうからだ。ウォルマートで売っている中国製品の値段が一夜にして倍以上になるかもしれない。石油も高くなる。

その代わり、アメリカの産業を再生させることが可能になり、輸出競争力と実体経済を回復させることも叶うだろう。

TPPは日本にとって何のメリットもない枠組み

2014年の大きな問題として、通商面ではTPP（環太平洋戦略的経済連携協定）交渉の行方がある。日本政府は、TPPが自国の体質に合っているかどうかなど考えず、加盟に向かって突き進んでいる。

実際、冷静に考えればTPPは日本にとって何のメリットもない枠組みだ。政府は参加によってアジア太平洋の新興国の成長を取り込めるとしている。だが、TPP交渉に参加している9カ国に日本を加えた10カ国の経済規模の比率は、アメリカが約70％を占め、日本が約20％。次の大国はオーストラリアだが、わずか約4％、そして、残り7カ国を合わせると約4％となる。

つまり、政府が強調しているアジア太平洋の新興国の市場など、わずか4％ほどのもの。現状、中国もインドも韓国もTPPには入っていない。

日本はすでに「ASEAN（東南アジア諸国連合）＋3」という地域経済ブロックに入っている。参加国は日本、韓国、中国、タイ、フィリピン、マレーシア、シンガポール、ブルネイ、ベトナム、カンボジア、ミャンマー、ラオス。この中でアメリカの脅しを受け、不公平なFTAを結ばざるをえなかったのが韓国であり、日本もまたTPP入りへと導かれている。長期的にアメリカの消費力は落ち、中国を筆頭にアジアの消費力は拡大する。そうなった時、日本はTPPよりもASEAN＋3を重視せざるをえなくなるだろう。

ところが、賛成論者たちは「TPPで関税を撤廃し、自由貿易を推進するのだ」と言う。「撤廃、自由、推進」。アメリカが何かをゴリ押しする時によく聞かれるキャッチコピーだ。その誘いに乗って日本がTPPに参加した場合、実質的には日米での関税撤廃協定を結ぶようなものだ。

TPP参加国の中で日本企業の主要な輸出先となりうる市場は、アメリカしかない。しかし、自動車の関税は現在でも2・5％にすぎず、これが撤廃されたとしても効果は限定的だ。加えて、トヨタ、日産、ホンダといった自動車メーカーはすでにグローバル化に対応し、アメリカでの現地生産を進めている。つまり、日米間の関税があろうとなかろうと、国際競争力にほとんど影響がないのだ。そして、それは自動車に限らず、製造業全体にも言えることでもある。

TPPによって日本は細く長く支配され続ける

一方、オバマ政権は、TPPの効果を国民に向けてこう説明している。

TPPはアメリカの輸出業者にすばらしい機会を提供します。消費者の95％がアメリカの国境の外にある世界において、アジア太平洋地域は世界人口の40％を構成しています。これらの国々の経済はダイナミックに世界平均よりも急速なスピードで成長しており、2009年には世界のGDPの56％を占めるまでになりました。

アジア太平洋地域はアメリカの輸出にとって世界最大の市場であり、アメリカの農産物の輸出のじつに3分の2を受け入れています。オバマ政権はTPPの締結によって、これらの輸出を増加し、アメリカ国内の各地域でより多くの雇用を創出することをお約束します。

TPPを後押しするロビイスト集団は「全国貿易協議会（NFTC）」という財界団体・同業組合だ。このNFTCは1914年に設立され、アメリカの有力企業に有利な自由貿易システムを主張する最大の規模の団体である。

会員社数は300を超え、ワシントンD．C．とニューヨークにオフィスを構える。会員企業に有利な法律を政府につくらせ、グローバルスタンダードを推し進めるロビイング活動を続けている。

公表されている会員企業の名簿から、目ぼしいところを抜き出してみよう。

インテル、マイクロソフト、IBM、GAP、コカ・コーラ、ファイザー、シティグループ、ダウ・ケミカル、GE、ヒューレット・パッカード、ジョンソン・エンド・ジョンソン、リーバイス、オラクル、P＆G、タイム・ワーナー、VISA、ウォルマート、ゼロックス……。

こうした一般の消費者にとってもおなじみの有名企業だけでなく、ベクテル、カーギル、モンサントといったサバタイ派マフィアとのつながりがはっきりしているキナ臭い非上場企業、各業界団体など、あらゆる業種の有力企業がひしめき合っている。

ＴＰＰの交渉を行うということは、こうした大資本の息のかかったアメリカの政策担当者の容赦ない要求が日本に突きつけられるということだ。

国内では、農産物が非関税になることで外国産の安い農作物が日本へ押し寄せることが不安視されている。特に日本人の心である米が攻撃されることには、農協を中心に大きな反対の声が上がっている。これは当然だ。

また、農薬まみれの外国産農産物への危機感、遺伝子組み換え製品への不安感も拭えない。ＴＰＰは日本の食料だけではなく、銀行、保険、雇用、食の安全、環境規制、医療サービスなど、国民生活のありとあらゆるものを変え、細く長く私たちの富を流出させる盟約となるだろう。

なにより、ＴＰＰの最大の問題は日本で何かトラブルが起きた時、ＴＰＰを動かしている官僚による裁判が日本の法よりも強い拘束力を発揮することだ。ＴＰＰに入ってしまうと、闇の権力者のコントロール下に収まるのと同じことになる。

私たちがこれからなすべきこと

ここまで、日本が直面している課題について見てきた。

安全保障、経済運営、通商交渉。そのいずれもが、アメリカとの関係の中で揺れ動いている。肝心のアメリカは、今も闇の権力者たちの道具としていいように使われるがままだ。

だからこそ、私たちがこれからなすべきことは、いくつもある。

最終的な再出発地点は、アメリカと日本を同時に同じマフィアから独立させること。そのためにはＦＲＢの裏に蠢く家族の群れをどけること。そして、日本銀行を再び日本人のものに戻すことだ。

私たち一人ひとりのできることは小さいかもしれないが、それぞれが変わらなければ、大きなうねりをつくり出すことはできない。すでにアメリカでは、国内に変化の兆しが見え始めている。

大切なのは、歴史を学ぶということだ。

国とは何か。お金とは何か。銀行とは何か。企業とは何か。

支配者はどのような手法を使って人々を騙してきたのか。過去の歴史を知ることで、世界で起きている変化を、大きな視点で捉えられるようになる。これまで世界がどのように動いてきたのか、そして今後どのように動くか。世界というものの全体像を理解するためには、過去を知ることだ。

何か新しい出来事が起こったとき、過去を知っていれば、その未知なるものを歴史という文脈の中で考えることができる。今の時代に真実であると考えられていることが、10年前、20年前にはそうではなかった。

世界が今後どのように変わるか。目の前の常識が当たり前だと思い込むことなく、好奇心を持って情報と向き合ってほしい。

そして、あなたが知った事実を身近な人に伝えることだ。

それは「6次の隔たり」によって世界へ広がっていく。これは、いわゆる「友達の友達」のような関係をたどっていくと、5人を仲介する（6段階の関係）程度で世界中のあらゆる人とつながることができる、という考え方だ。

これは1920年代にハンガリーの作家フリジェシュが初めて提唱し、その後1960年代に社会心理学者ミルグラムが「スモールワールド実験」において検証し、広く知られるようになった概念だ。

つまり、私たちは友だちの友だち6人経由で世界中の人とコンタクトをとることができる。自分のまわりの人を説得し、その人たちがまわりを説得していけば、あっという間に世界は変わる。個人が何もできないと考えているのは間違いだ。自分に一番近い人に事実を知らせていくことが変化の第一歩となり、個人の力で世界を変えることができる。

真実を求める人々に、本書が役立つことを願っている。

著者紹介

ベンジャミン・フルフォード
(Benjamin Fulford)
1961年カナダ生まれ。80年代に来日。上智大学比較文化学科を経て、カナダのブリティッシュ・コロンビア大学を卒業。その後再来日し、日経ウィークリー記者、米経済誌『フォーブス』アジア太平洋支局長などを経て、現在はフリーランスジャーナリスト、ノンフィクション作家として活躍中。

アメリカが日本《にっぽん》にひた隠《かく》す日米同盟《にちべいどうめい》の真実《しんじつ》

2014年2月15日　第1刷

著　者　ベンジャミン・フルフォード

発行者　小澤源太郎

責任編集　株式会社 プライム涌光
電話　編集部　03(3203)2850

発行所　株式会社 青春出版社
東京都新宿区若松町12番1号 〒162-0056
振替番号　00190-7-98602
電話　営業部　03(3207)1916

印刷　中央精版印刷　製本　ナショナル製本

万一、落丁、乱丁がありました節は、お取りかえします。
ISBN978-4-413-03909-3 C0033